地域政策の新たな潮流を探る

小磯修二

地域政策の新たな潮流を探る

はじめに

二一世紀に入って四半世紀が経過しようとしていますが、近年の国内外の地域政策を取り巻く環境の変化には驚かされます。少子化の一層の加速、労働力不足の深刻化、デジタル化と生成ＡＩ等の普及による新たな社会システムの変革、そしてグローバルな政治、経済環境の不安定化など、予想を超える変化が急速に進行し、先行きの不透明感も増しています。これらの課題や不安は、地域社会にも幅広く影響を及ぼしてきています。私たちが直面している多くの現実の課題について、これまでの経験則や政策、ルールで解決することは期待できなくなっています。地域社会が安定的に未来を築いていくためには、地域自らが各分野での深い洞察力を持ち、研鑽を重ねて未知の領域に挑戦することが一層強く求められているように感じます。

本書は、そうした時代の流れに向き合いながら、さまざまな分野の専門家たちとの対談を通じて、地域政策に関する洞察と解決に向けた手掛かりを探求することを目指したものです。地域ごとに異なる歴史、文化、課題を抱えるなかで、その多様性を生かした地域主体の政策提起と推進の重要性がますます高まってきています。専門家の知見、経験のなかから、地域が目指すべき、持続可能性、地域経済の活性化、地域のアイデンティティ形成など、多角的な視点から、考察のヒントを得ようとするアプローチでもありました。

対談した専門家の方々は、それぞれの分野で卓越した成果を上げておられ、その知識と経験は、地域社会が直面する課題への対応を考える上で貴重な資源でもあります。本書を通じて、地域が自らの課題を解決し、新たな未来を切り拓くためのヒントを提供することができれば幸いです。また、この対談が読者の皆様にとって、地域社会の発展に向けた新たなアイデアや方策を生み出す契機となることを願っています。それぞれの地域にふさわしい政策や戦略を見つけ出す道のりは、決して容易なものではありませんが、この本がその一助となることを願っています。

対談にご協力いただいた皆様には、本書の趣旨を深く理解し、貴重な時間を割いて対応くださったことに、心から感謝申し上げます。皆様の洞察と助言が、地域から新たな未来を切り拓くための道標となることを心より期待しています。

本書は、北海道市町村振興協会の設立四五周年の記念誌発刊に向けて、二〇二二年度と二〇二三年度にわたる調査研究事業として実施した対談の成果を編さんしたものです。市町村の健全な発展、地域社会の活性化、市町村職員の資質向上を目指してきた北海道市町村振興協会の活動の節目として、この発刊を機に、北海道内の市町村から未来に向かって挑戦する意欲を持った担い手が生まれてくることを願ってやみません。

このような貴重な機会を与えていただいた北海道市町村振興協会の皆様にはあらためて感謝申し上げます。特に、理事長の原田裕恵庭市長、前理事長の棚野孝夫白糠町長、柏木文彦常務、石橋秀規前常務、鈴木亮一参事には本誌刊行に向けて多大な尽力をいただき心より厚くお礼を申し上げます。

また、調査研究事業から対談の編集まで多くの作業を担っていただいた地域研究工房の関口麻奈美さんには心より感謝しております。さらに、本書の出版を担っていただいた中西出版の林下英二社長、河西博嗣さんには多大なご協力をいただきお礼を申し上げます。

編著者　小磯修二

地域政策の新たな潮流を探る　目次

社会保障と雇用 ―― 89

対談者　中央大学法学部教授　宮本　太郎

文化政策と地域の活性化 ―― 113

対談者　東京大学大学院人文社会系研究科教授　小林　真理

地域経済政策としての観光 ―― 139

対談者　國學院大學観光まちづくり学部教授　塩谷　英生

小磯修二 × 京都大学名誉教授 藤田昌久

空間経済学と地域政策

藤田　昌久（ふじた　まさひさ）

1966年京都大学工学部土木工学科卒業。1972年ペンシルバニア大学大学院博士課程地域科学専攻修了。京都大学工学部土木工学科助教授、ペンシルバニア大学地域科学部助教授、準教授、教授を経て、同経済学部教授。1995～2007年京都大学経済研究所教授。2003～07年日本貿易振興機構アジア経済研究所所長。2007～16年経済産業研究所所長。日本学士院会員。著書に『空間経済学―都市・地域・国際貿易の新しい分析』、『集積の経済学』『復興の空間経済学』（いずれも共著）など。

2022年10月14日対談

チャレンジとレスポンス

小磯　私が初めて藤田先生にお会いしたのは、二〇〇六年一二月に、私が編集主幹を務めていた地域経済レポート『マルシェノルド』（北海道開発協会）で対談させていただいた時でした。当時私は行政官から研究者に転身して、地方の現場で地域課題の解決に向けた政策研究活動を始めていた時期でした。中央がリードして政策や仕組みをつくることで、地方は受け身にならざるを得ない状況にジレンマを感じていた時に、藤田先生から地方の持つ多様な潜在力が内発的な成長の源泉になり得るという理論を示していただき、大変勇気付けられるとともに、その後の私の活動の理論的な支柱となり感謝しています。また、その時に示された坂本龍馬の「船中八策」を現代向けにアレンジした「平成維新　新幹線八策」（図１）には大変刺激を受けました。地域に向き合って活動していくことの醍醐味を感じるとともに、中央に向き合って改革を推し進めていく責務を感じました。

今後の地域政策を考察していくためには、地域についての科学的な分析による理論は欠かせません。藤田先生が専門とする空間経済学は、地域の発展・盛衰や大都市と地方の集積、分散のメカニズムなど、従来の都市経済学や地域経済学、国際貿易理論の蓄積をもとに、地域経済システムのダイナミックな変遷を分析してきておられます。今日は、近年の社会変化を踏まえながら、空間経済学の立場から、地方の活性化、地方の多様性を生かす方法論や手法についてお聞きしたいと思います。

藤田先生は、これまでさまざまな地域に実際に入って、実践的に研究を進めてこられていますね。

藤田　これまで長く研究を続けてきたのは、「葉っぱビジネス」で知られる徳島県上勝町です。上勝町は人口一四〇〇人ほど、高齢化率五〇%を超えているまちですが、女性や高齢者が中心になって、「つまもの」と呼ばれている、日本料理を彩る葉や花、山菜などを栽培・出荷・販売しています。

地域政策の基本は、すべての住民がわくわくするような、楽しい、持続的なイノベーションが起こる独自の地域づくりの「仕組み」と「コミュニティづくり」です。そのためには地域資源を最大限に活用して、持続的に人材育

第一策　天下の政権を地域に奉還せしめ、政令よろしく地域より出づべき事（廃央創域）
第二策　地域は自らの財源を確保し、政府と議会を設け、広く有為の人材を登用し、万機よろしく公議に決すべき事
第三策　地域は個性ある文化と、様々な活動の独自の集積を促進し、その持続的革新を図るべき事
第四策　地域は異端者への包容力の促進を旨とし、個性ある有為の人材を育み、世界中と人材の交流を図るべき事
第五策　地域は内外の諸地域と連携し、様々な施策を通じて財政の長期的安定を図るべき事
第六策　国は地域の手伝いをもって旨となし、多様な地域の育成を図るべき事
第七策　国は門戸を広く世界に開き、外国の交際を進め、国の礎の発展に専念すべき事
第八策　内外の律令を折衷し、国と地域につき新たに無窮の大典を選定すべき事
以上をもって、我が国は世界に貢献する知識創造の場として発展していくべき事

図１　「平成維新　新幹線八策」　藤田昌久

成ができるための新しい血と知になる、多様な人材と知識を恒常的に導入することが重要です。そこに自然や地理的環境、歴史・伝統や文化が加わり、地域が活性化していきます。大切なことは、あらためて地域資源とは何かを考えることです。よく「捨てればゴミ、生かせば資源」と言いますが、潜在的な地域資源を見つけて、新たな視点から見直すことが重要です。

上勝町のいろどりの横石知二社長は「地域資源って言うのは無限にあるよね～。夕日が綺麗に見えるって言うだけでも、地域資源なんよ（中略）自分の住んでいるトコが、いいなぁ～と思う気持ちがあったら、何かが発見される」と言っています。この言葉に地域資源とは何かが集約されています。

地域活性化の成功事例では、イギリスの歴史家アーノルド・J・トインビーが『歴史の研究』で説いた、「challenge（挑戦）」→「response（応戦）」→「growth（成長）」→「overbalance（不均衡）」、そしてまた「challenge」を繰り返すという、文明の成長過程（図2）が当てはまります。そこには常にチャレンジとレスポンスがあり、いかにみんなで危機感を共有したかがポイントです。危機感がないところにイノベーションは起こりません。チャレンジとレスポンスによって、持続的なイノベーションの仕組みづくりとコミュニティづくりにつながっていきます。

アートを軸にしたまちおこしのほか、岡山県西粟倉村や北海道の猿払村にも関心があります。特に、猿払村には電力会社を退職して新規酪農家として移住し、私の授業に講師として参加してくれた元学生がいます。猿払村の一人当たりの所得は世田谷区と同程度という驚くべき実態があり、地方の可能性を感じます。

小磯　猿払村は、「育てて獲る漁業」の先進地です。その新規酪農家のように、やる気のある若い世代が集まれば、地方は大きな力を発揮します。西粟倉村も調査したことがありますが、持続的な森づくりを目指す「百年の森構想」のもと、森林資源を核に産業と雇用を生み出す好循環が生まれていて、若い世代がどんどん移住しています。猿払村や西粟倉村のように、長期的な視野で稼ぐ力を高めている地域が出てきているので、地方で活動する醍醐味を実感している若者は少なくないでしょう。

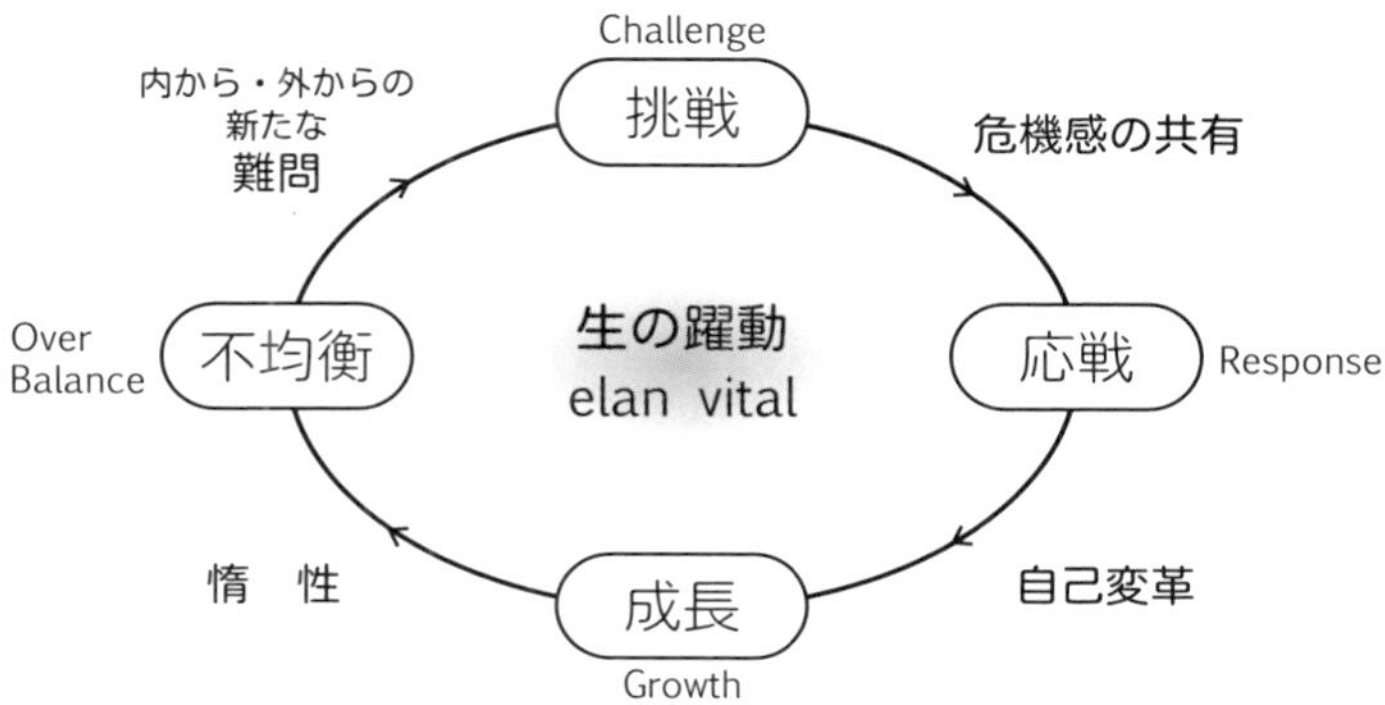

図２　A. トインビーによる文明の成長過程
（*A.J.Toynbee『A Study of History』）

長寿を生かす社会づくり

藤田　二〇〇六年一二月に小磯さんにお会いして以降の大きな出来事の一つが、二〇〇八年から日本で本格的に始まった人口減少です。この流れは当面は変わらないでしょう。古代から日本の人口は増加し続け、過去に人口減少を経験したことがありません。急激な人口減少は、日本における根本的な大きな変化で、すべての物事について人口減少社会を基軸に考えていく必要があります。これは国も地方も同じです。日本は地域の集合体なので、人口減少を前提に地域の活力をいかに保持していくかを考えなければいけません。残念なのは、政治にその危機感が共有されていないことです。

もう一つの大きな変化が高齢化です。人口減少と高齢化によって、日本で確実に増えるものが二つあります。一つは、一人当たりの自然や文化などの資源量です。そして、もう一つが長寿命化による一人当たりの人生の持ち時間です。この二つは、わが国の資源と捉えることができます。

戦後日本の大きな成果は、人間の長寿命化です。これは高く評価すべきものなのに、高齢者への対応は姥捨て山状態です。将来の日本の社会設計においては、健康で長生きできることを高い評価に加えて考えていく必要があります。

小磯　高齢者を社会的負担が必要な人々としてではなく、彼らの経験、知識、能力を活用することで社会の発展に資する仕組みを構築していくことは、これからの地域政策の大切なテーマだと思います。それを実現していくためには、予防医療や健康管理、介護などの医療福祉政策、新たな社会参加を促す教育政策、さらに柔軟な働き方を提供する雇用政策など横軸で連携させていく制度設計が必要だと思います。

東日本大震災の経験

藤田　二〇一一年の東日本大震災と二〇一九年一二月に中国で初めて確認された新型コロナウイルスの出現も大きな出来事です。これらを踏まえて、地域活性化を考えていく必要があります。

東日本大震災後は、私も定期的に被災地の復興状況を定点観測しています。なかでも注目しているのは、宮城県漁業協同組合志津川支所戸倉出張所のカキ部会です。南三陸町戸倉地区は東日本大震災で特に被害が大きかったのですが、二〇一六年三月にカキ養殖場が日本初となるＡＳＣ国際認証（水産養殖管理協議会による認証制度）を取得しています。戸倉地区は一九六〇年のチリ地震津波でも大きな被害を受け、被災を機にカキ、ワカメ、ホタテなどの養殖業をスタートさせています。これがレスポンスです。ところが、海は公

共財なので、気が付くと、誰もが利用できる資源が無秩序に利用されることで結果的に枯渇するという「コモンズの悲劇」が起こっていました。みんなが養殖施設をどんどん増やして、過密養殖になり生産性が低下していたのです。文明の成長過程でいうオーバーバランスです。そこに東日本大震災が発生し、養殖場は壊滅しました。

そこから新たなチャレンジとレスポンスが始まりました。養殖施設を震災前の三分の一に減らし、共同経営でカキを養殖する仕組みに変えたのです。その結果、震災前に二、三年かかっていた種付けから収穫までの期間は一年に短縮され、生産量は震災前の約二倍に、収益も一・五倍になりました。事業規模を縮小したことで、収穫作業や維持管理などの労働時間が短縮され、後継者となる若者も増えています。作業効率の向上、生産性の向上、価格上昇といった好循環が生まれており、この仕組みを維持するためにＡＳＣ認証を取得し、震災復興から生まれた持続可能な養殖として注目されています。

トインビーが指摘する挑戦は、危機感を共有しながら応戦するわけですが、そこで不可欠なことは自己変革です。自己変革ができて物事がうまくいくようになると惰性につながって、また不均衡が生じてきます。そこで、また新たな挑戦が生まれるというサイクルをいつまでも続けていくこと。それが地域活性化を目指す上で重要な要素になってくるのです。

小磯　戸倉のカキ養殖は、そのサイクルがうまく働いている好例ですね。東日本大震災の危機感を自己変革、漁業者の意識改革のチャンスにしたのでしょう。一匹狼が多い漁業者の共同経営はなかなかうまくいかないことが多いように思いますが、静岡県の由比・蒲原・大井川地区にある二つの漁業協同組合（由比港漁協、大井川港漁協）でも桜えび漁をうまくコントロールしています。漁獲量を制限し、水揚げ代金を一定のルールに基づいて船主や乗組員に均等分配するプール制の資源管理型漁業を展開しています。由比の桜えび漁は一八九四(明治二七）年に始まっていますが、一九六〇年代中ごろに漁獲量が半減するようになり、水揚げ代金のプール制が模索されるようになりました。検討、導入から一〇年ほどかかったようですが、一九七七年に三地区を統合し、総プール制が採用され、一九八三年には水揚げ地の漁協に支払われていた桜えびの漁業販売手数料もプール計算制にしています。

桜えびの漁獲高が減少して、資源枯渇が頭をよぎった漁業者がいたので、変革につながったのでしょうが、常に問題意識を持っていなければ、革命を起こすような動きにつながっていきません。地域資源とは何かを見直すことが大切だというお話がありましたが、既にある地域資源を持続可能な資源として成長させていく歩みも重要です。そこでは地域の中で危機感の共有ができるかどうかが、大きな鍵になるのでしょう。

藤田　震災前、戸倉のカキは生産性も売上高も漁獲高も減っていました。危機感はあったのでしょうが、東日本大震災の被災によって、これまでと同じやり方ではいけないという意識を共有しやすい環境になったのでしょう。

小磯　地域の経済力を高めていくためには、個人の利益だけでなく、地域全体の利益は何か

を考え、地域全体で管理する視点が欠かせません。先ほど話題に出た猿払村も一九五四年を境にホタテの漁獲量が一気に減少し、一九六四年に資源が枯渇しました。その危機感を共有した村と漁協が一緒になって、ホタテの増殖に向き合ってきました。今では稚貝の放流、水揚げ量の管理、選別、ヒトデなどの天敵対応など、徹底した資源管理がなされるようになり、高品質なホタテが獲れ、村の世帯平均所得を引き上げています。個々の利害を超えて、漁協がサステナブルに全体管理を担う体制があります。

持続可能な経済の仕組みづくりやその知恵を醸成していくことが、地域力を高めていくことにつながります。地方が知恵を絞り、実際に取り組んで成果を出すことで、国の変革につなげていく気概を持って実践してきた、北海道の誇れる事例です。

大震災から考える中央と地方

藤田　東日本大震災を経験した当時は、日本中が震災を変革のチャンスにしようと考えていました。道州制や地方分権を進めるきっかけにしていくような声もたくさんありました。ところが、今はその論調はしぼんでしまいました。復興には膨大な予算がかかるので、その資金を分配する霞が関の力がさらに強くなってしまいました。

小磯　災害などの非常時は国が主導して治めていくのがこれまでの流れで、地方分権をうながすきっかけとしては、難しさがあったように感じます。しかし、北海道では、東日本大震災のような巨大災害が首都圏を襲うことを想定して、首都圏に集中する機能を各地域が分担し合う必要性を提起し、震災の翌年に、北海道が担う役割と施策を「北海道バックアップ拠点構想」として打ち出しました。地震調査研究推進本部地震調査委員会は、首都直下地震で想定されているマグニチュード七程度の地震が三〇年以内に発生する確率を七〇％ほど（二〇二〇年一月二四日時点）と予測しています。首都直下地震が起きれば、機能が首都圏に集中している日本は、壊滅する可能性があります。主要機能が東京に集中している脆弱な構造を変え、首都機能を分散させることがリスク管理では重要です。これまで北海道には距離のハンディがありましたが、離れていることが優位な条件になり、リスク分散の視点からの地方戦略でもあります。

この構想の発表後、本社の一部を札幌に移す動きが出てきました。二〇一四年一一月にアクサ生命保険が札幌本社を設立し、災害が起きても重要業務が滞らないように、東京の本社と札幌本社という二つの本社体制を敷いています。こうした動きは他社にも広がり、コロナ禍にその動きが加速しました。

「北海道バックアップ拠点構想」は、地方の強みを生かして、東京に集中している機能を分散する必要性と、そのなかで北海道の新たな役割を考える契機になったと感じています。

藤田　震災後の対応で印象深いのは、サプライチェーンの強靭化です。この経験があったことで、コロナへの対応も短期間に修復できるＢＣＰ（事業継続計画）が整っていました。これは一つの大きな成果でしょう。企業は地域に根差していますから、サプライチェーンの変化は地方の製造業にも大きな影響を与えます。

三陸海岸周辺の復興において大きな課題は、大学空白地帯であったことです。長期的な復興を成し遂げていくために、大学がないという現実は大きなハンディキャップでした。ＩＣＴを活用して、対面とオンラインのハイブリッドで講義を行うなど、今は講師も世界中から集めることができる時代になっています。

大学のキャパシティと地域の学生数は完璧な比例関係にあります。大学の一定のキャパシティがなければ、若者は地元に残りません。学生の多様性や新しいことを考える力など、被災地の復興だけでなく、地方にとって大学の存在は不可欠でしょう。日本はもっと大学に資金を投資すべきです。

小磯　地域の活性化に向けた大学戦略は、私も非常に重要だと感じています。若者が常に集まっていることは、地域の大きな力になります。

先ほど道州制の話題が出ましたが、北海道庁では道州制を真剣に検討したことがあります。二〇〇三年の小泉政権時代で、私も検討に参加しましたが、霞が関が本気で取り組むことはなく、結果的には国の痛みのない範囲での小手先の対応で終わってしまいました。藤田先生は、「地方が主体的に政策を実施する権限は奪い取るしかない」とおっしゃっていましたが、それを実感する経験でした。

藤田　権限と財源はセットであるべきですが、どちらも中央は手放したくないでしょう。

小磯　戦後、日本国内で独自の制度を勝ち取ってきた経験が沖縄にあります。一九七二年の本土復帰後は北海道開発庁の政策システムを生かした沖縄開発庁が設立され、基本的には北海道と同じ仕組みで地域開発、地域政策が進められてきましたが、一九九五年に沖縄米兵少女暴行事件が起き、米軍基地への反感が爆発し、普天間基地移設問題に発展しました。当時の橋本龍太郎総理は、普天間基地返還に加えて、従来にはない沖縄独自の政策を認めていきました。航空機燃料税の減免や特区制度など、思い切った一国二制度と言える施策が展開されていきます。まさに、怒りを持って拳をあげるという図式です。藤田先生がおっしゃるように、明治維新時のような気概を持って地域の活性化に向き合えば、中央を動かしていくことができるということでしょう。

藤田　二〇〇〇年代初めに、中央集権を廃して地域を創造する「廃央創域」を提案しましたが、当時からこのテーマに真剣に向き合っていれば変わっていたでしょう。国会を春と夏は北海道で、秋と冬は沖縄で開催すれば、国会議員もロシアや中国と向き合う国境の緊張感を肌で感じられます。ＩＣＴを駆使すれば、オンラインの活用など最先端の国会運営ができるはずで、もっと早くに取り組んでいればＤＸも進展していたでしょう。

小磯　震災後、中央防災会議では同規模の災害が首都直下型で起こった際の官邸機能の非常時対応について真剣な議論をしていました。札幌が暫定的な官邸機能を配置する候補地になり、知事や市長も力を入れて要請したのですが、その後東京にオリンピックを誘致することになり、議論が止まってしまいました。緊張感のある議論が継承されていないことに不安を感じます。

　福島第一原発の事故で、再生可能エネルギーへの関心が高まりましたが、近年は脱炭素が大きなテーマです。北海道はローカルエネルギーである再生可能エネルギーの賦存量が多く、全国的にも高い関心を集めています。震災後、私は北海道内の資源ですべてのエネルギーを賄うと、二六〇〇億円を上回る経済波及効果があるという試算をしたことがあります。再生可能エネルギー活用は、地域資源をエネルギーに振り向けていく域内循環による経済力強化政策でもあります。これからは地域独自のエネルギー政策が必要です。エネルギー政策については国の権限が強く、地域政策としては多くの壁がありますが、一歩一歩地域が主体的に取り組んで、前に進めていくことが大切だと思います。

パンデミックの教訓

小磯　もう一つの大きな出来事である新型コロナウイルス感染症によるパンデミックの教訓

をしっかり新たな地域社会の仕組みにつなげていくことも大切です。過密や集中のリスクを考慮したバランスのある社会形成に向けた議論が必要でしょう。また、コロナを経験して、働き方に大きな変化が生まれました。勤務先の所在地周辺で生活しなくても働ける仕組みづくりが着実に進んできました。例えば、NTTグループは遠隔地に住んで出社しなくても働ける環境を整備しています。この動きはこれからの地方活性化にとって大きなプラス要因になると期待しています。

藤田　アクティビティ・ベースド・ワーキング（ABW）です。これはオランダで提唱された考え方で、大都市においてハブオフィス、サテライトオフィス、在宅など、社員の活動内容と日程を調整しながら、全体として高い生産性と創造性を達成できるように、相互に補完的に組み合わせて働けるシステムです。これまでは鉄道時代から続いてきたセントラル・ビジネス・ディストリクト（CBD）、いわゆる中心業務地区を核にした企業システムでしたが、それを見直す動きが加速しています。

空間経済学の大きな課題は、ICTの急速な発展下における知識創造社会の未来と、高まる地政学リスク下でのグローバル経済社会の未来です。日本の主要産業はものづくりでしたが、今後は広い意味での知識創造社会に転換していかなければなりません。ところが、それに対応できずに低成長の要因になっています。

コロナによるパンデミックは、地球規模での壮大な社会実験だったと言えます。対面接触や人流の大きな制限があるなかで、ICTによる情報通信は通常通りに機能しました。
その結果、三つの現象が起きました。一つはビジネス人流や観光客の減少で、サプライチェーンの寸断によって、米中の覇権争いが加速しました。二つ目は在宅勤務、リモートワークの増大によって、都市空間構造が変化する可能性が生まれてきたことです。三つ目は、三密を避けて、大都市から人々や企業の流出が増大し、東京一極集中の変化に向けた予兆がみられたことです。

これまでの空間経済学は、E-リンケージという、モノやサービスなどの経済財のリンケージで、空間がどのように集積するのかを研究してきました。しかし、これからはknowledge（ナレッジ）、知識やアイデア、インフォメーションといったもののリンケージ、これをK-リンケージと言いますが、この要素の研究も重要になっています。EとKの両方のリンケージを考えていく必要があるのです。

今後の空間経済学は、①都市空間構造の未来、②国土空間構造の未来、③グローバルなかでの知識創造社会の未来について研究していくべきだと考えています。①は、小磯さんがおっしゃったように、働き方改革を通じて、より高い生産性や創造性を達成する都市空間構造形成の検討ということになるでしょう。また、②はこれまでの東京一極集中の国土システムを転換させ、企業が都市圏域を超えて展開することによって、大都市を、豊かな自然と独自の産業集積と文化を持つ地域と結び、より多様性に富んだ国土システムを形成していくということです。例えば、パソナグループは二〇二四年までに本社で管理部門を担う約七割の人員を淡路島に移住させる予定で、二〇二〇年の内定式を淡路島の海が見える劇場レストランで開催するなど、東京一極集中を変化させていく予兆を感じました。

コロナのパンデミックを受けて、大企業にアンケートを実施しましたが、企業活動のほとんどがインターネットを活用すれば対応できるため、家賃の高い東京に本社がある必要はないと感じていました。昔は中央でしか得られない情報が多かったり、東京に本社があることの威信のようなものがありましたが、今はその優位性がなくなってきました。逆に、地方に本社を移転することで、地方のブランド力を付加価値にする動きや、地方の人的資源の豊富さが理解されるようになってきたと感じています。

小磯　北海道でも紅茶販売などを手掛けるルピシアが、東京の代官山からニセコ町に移転しています。スキーリゾートのニセコに社員の保養所があったのですが、地方の魅力に気付いて食品工場を建設し、その後もレストランを開店させるなど、少しずつニセコで展開を広げていくなかで、ＩＣＴ環境があれば家賃の高い東京に本社を置く必要はないと考えたそうです。また、水口博喜会長は、ＡＩが普及すると人間が活躍できるのは創造的な仕事しかないと考えるようになり、そういう仕事は自然がある地方でこそ実現できると、移転を決断したと言っていました。東京一極集中を変えていく動きが出てきていると感じます。

藤田　ＩＣＴの進展でコミュニケーションの概念は変わりましたが、やはり対面のコミュニケーションは必要です。活動ごとにコミュニケーションの方法を使いわけて、それぞれの過程で最適なコミュニケーションはどのようなものかを理論的に分析をしようと考えています。

小磯　その理論が確立して、最適なコミュニケーション方法が経済活動や生活に安定した秩序として定着すれば、一極集中の是正や地方の発展につながりますね。期待しています。

グローバルな立ち位置

小磯　世界に目を向けると、ロシアのウクライナ侵攻など、予想もしなかった事態が起きています。

藤田　トインビーは『歴史の研究』で「経済活動の広域化ないしグローバル化と、それによって引き起こされる、新たな広域政治体制の再構築という挑戦。この挑戦にどのように応戦していくか。――これはあらゆる文明の歴史を通じて繰り返されてきたテーマである」と説いています。ＩＣＴと輸送技術の発展でグローバル化が進みましたが、グローバル規模の法律と秩序を備える、新たな政治体制の構築が求められていると思います。特に、米中の覇権争いは、これまでも貿易戦争、ハイテク戦争、政治戦争があり、それがコロナで加速され、隙間を縫ってウクライナ戦争が起こりました。当分の間、この米中の覇権争いは変わらないでしょう。

そこで重要なのは、ＩＣＴのプラットフォームです。アメリカは中国のプラットフォームを分断しようとしていますが、人類の長期的な発展にとってはそれがプラスに作用すると考えています。なぜならアメリカベースのプラットフォームと中国のプラットフォームがあることで、それぞれの違いが出てきます。それが独自性を持つことにつながり、競い合うことになります。しかし、ＩＣＴの発達が人類の創造性を増すことに必ずしもつながるわけではありません。情報の拡散は早いのですが、人間が情報を吸収するキャパシティには限界があります。

例えば、私は書店で一時間ほど店内を見てから本を買っています。購入を決めている本はインターネットで注文しますが、ネット上では知識が広がらないのです。知識の多様性や創造性に必ずしもＩＣＴが役立っているわけではないことは、しっかり肝に銘じておくことが大切です。

小磯　思考を広げるためには、現場を自分の目で見て、対面で相手の表情を見ながら話をすることが大切だと感じる場面はよくあります。ただ、ＩＣＴはこれからの地方の活性化には不可欠な要素です。日本はもっとこの領域で存在感を発揮してほしいと思います。

藤田　一九六〇、七〇年代に日本が発展した背景には技術や知識もありましたが、基本は賃金格差です。安い賃金で質の高いものをつくり、自動車などの量産で圧倒的な存在感を示しました。しかし、その後は賃金が安い東北や九州などに工場を移転させ、さらにその後は中国や東南アジアなど、もっと賃金が低い海外に移転しています。八〇、九〇年代に日本にものづくりのお株を奪われたアメリカはＩＣＴに乗り換え、今では一大産業に発展しています。日本はそこに乗り遅れてしまいました。今こそ日本は何をすべきかを考えなければ、トインビーが指摘する「応戦」もできません。

小磯　情報や知識などの分野でもっと日本が活躍していけるように思うのですが、その基本である教育が中途半端になっているように思います。独創性を高める教育が必要でしょうし、いい意味でハングリー精神を持って挑んでいくような環境づくりも大切な気がしています。

藤田　アメリカは問題も多いのですが、独自のイノベーションがあります。例えば、ヒルトンやハイアット、インターコンチネンタルなどのホテルチェーン、マクドナルドやスターバックスなどはすべてアメリカ発です。システムづくりが非常に優秀なので、世界中にスタンダードを広げています。ホテル業もその核は、泊まりたい人を集めて、空き部屋を出さないように客をネットワークでマッチングさせる情報システムと言えます。そこがアメリカの得意なところで、アマゾンだって結局は世界中にあるネットワークを有効に駆使するシステムで世界を席巻しているわけです。

そんななかで、日本はどこで勝負していくべきでしょうか。日本人は親切で、地方に行くと素朴さが残っています。そんな日本の良いところを残していきたいと思うのですが、これからの地域の活性化、日本の活性化は、若い皆さんが担っていくことになります。ただ、気になるのは、今の生活に満足して、危機感を感じていない人が多いように感じていて、ハングリー精神で世界の中で生き抜いていく気概をもってほしいと思っています。

地方の多様性を生かす

小磯　私は、中央アジアの国際協力に携わってきています。ウズベキスタンはダブル・ロックド・カントリーと呼ばれ、隣接する国がすべて海に接しておらず、輸送が陸路しかないという経済物流面での大きなハンディがある国です。しかし、長距離航空路線の中継点としてみれば、アジア、ヨーロッパ、インドの中央に位置し、シルクロードの歴史的な史跡資源を生かせば、これからは国際観光の拠点になる可能性があると思っています。座標軸の中心を置き換えてみることで、地域の特性、多様性を生かす戦略が見えてくるように思います。そこで、関心があるのがＩＣＴの進展です。ＩＣＴにより距離のコストや意志疎通を図る手段が変化してきていますが、空間経済学として、そのテーマの研究は進んでいるのでしょうか。

藤田　あまり進んでいないのが実態です。産業としての研究はたくさんあるのですが、ＩＣＴの進展がどのように空間に影響を及ぼすかについての理論や研究はまだまだです。コミュニケーションの進展で、知識創造時代になっていますが、知識がコミュニケーションによってどのようにつくられていくのかというミクロ理論はありません。空間と距離を概念に入れた研究はあまり進んでいないので、これからの課題です。

小磯　東京一極集中の状況下では、地方が持つ力を生かし切れていないと感じることが多々あります。その一方で、多様性も叫ばれています。情報ネットワークも変革が起きています。例えば、これまでは一台の大型コンピューターとどのように結び付けるかが主眼で、国土政策レベルではどのように東京にアクセスするかが重要な論点でした。ところが今は、クラウド活用の時代です。世界中のコンピューターをつなぎ合わせるネットワークができているので、どこが中心かわからないし、中心という概念が必要ないとも言えます。集積と分散に関わる新しい理論や考え方が、経済学として打ち出されていいように感じます。

藤田　これだけ国際化されても違ったカルチャーが生まれている背景には、距離があるからと言えます。例えば、インターネットを使うことで空間距離がゼロになり、インスタントにコミュニケーションできる世界と、コミュニケーションをとるためにコストを要する世界と、どちらがいいのでしょうか。どちらの世界が長期的に創造性豊かな世界が生まれるかということをモデルケースで比較しましたが、適当な条件下ではコミュニケーションコストが適当な価格であれば、分散した方が人類全体の創造性が高くなるという結論でした。だから、ある程度は離れていた方がよいという結論です。例えば、トヨタの車を改良するような場合、生産性を増すためには、同質性が強い社員が集まる方がいいのですが、ＩＣＴ社会のなかで応用策を考えたり、最先端のことを考える場合は多様な違った性質の人たちが集まった方がいいのです。開拓・開発では、多様性が重要です。

小磯　やはり、地方の多様性を生かしていくことが、新しいビジネスやサービスを生み出し、創造性豊かな社会をつくり出していくことにつながるのですね。今日はありがとうございました。

小磯修二 × 衆議院議員 橘慶一郎

地方からの国づくり

橘　慶一郎（たちばな けいいちろう）

1984年東京大学法学部卒業後、北海道開発庁（現国土交通省）入庁。1989年ケンブリッジ大学大学院修士課程修了。1991年北海道開発庁企画室開発専門官。1993年伏木海陸運送㈱代表取締役副社長、1995年同代表取締役社長、2004年同代表取締役会長。2004年旧高岡市長。2005年～09年新高岡市長。2009年衆議院議員選挙初当選、2021年５期目当選。2012年～13年総務大臣政務官、2016年～17年復興副大臣、2018年～19年復興副大臣。

2023年１月19日対談

貴重な北海道開発政策の経験

小磯　橘さんとは北海道開発庁（現国土交通省）で一緒に仕事をしましたが、若くして退官され、その後は企業経営者、高岡市長、そして国会議員と幅広い分野で着実にキャリアを積み上げてこられました。私は北海道開発庁を途中で退職し、大学研究者に転じましたが、一貫して地域開発政策をテーマに活動を続けています。今日は北海道開発行政の経験を振り返りながら、これからの地域政策について意見交換させていただきます。橘さんの「地方から始まる新しい国のかたち。」という政治活動の理念に共鳴して、「地方からの国づくり」をテーマにしたいと思います。

地域政策に関わっていく上で、北海道開発行政は私にとって貴重な経験でした。北海道開発庁では長く企画部門で北海道総合開発計画の策定やその推進についての業務を担いましたが、その仕事は、いわば「権限なき調整」でした。北海道開発庁には実施権限のある所管法がなく、縦割りの中央行政のなかで、北海道という特定地域の開発政策を展開していくために北海道総合開発計画を立案し、権限を持たずに施策やプロジェクトを推進していく仕事でした。そのためには、説得力のある説明をして関係者を納得させることが必要でした。既得権益を守る各省庁を相手に、それは大変難しいものでしたが、得難い経験でもありました。また、その経験がその後の地域政策に関わる活動をしていく上で少なからぬ教訓となりました。

世界的にも特定地域における開発政策の展開は期待が大きい分野です。一九九〇年に橘さんと一緒に北海道開発局の国際室を立ち上げましたが、その縁で大学転身後はＪＩＣＡ（国際協力機構）などの国際協力活動に関わり、地域開発政策分野でお手伝いしています。途上国では特定地域の開発政策に対する支援ニーズが強いことを実感します。ソフトな地域開発の政策経験を伝えていくことは、わが国にとっても非常に重要です。縦割りの壁をいかに調整していくのかという経験やノウハウが貴重な教材になります。

橘　北海道開発庁時代は国際室開設、英国スコットランド省などと共催した「地域開発政策に関する国際会議」など、たくさんの思い出があります。視野を海外に広げると世界のいろいろな地域で地域開発政策が取り組まれていて、リージョナルポリシー（地域開発）は重要な政策だと実感しました。

北海道開発政策では、いくつかのツールや仕事の手法がありました。総合開発計画を策定してビジョンやプロジェクトを提示し、大きな流れをつくりながら、さまざまな主体が計画実現のために取り組んでいくという仕組みでした。横串を刺す役割と言えるのでしょうが、当時は企画調整官庁と表現していました。権限がない寂しさはありましたが、それがいい意味で横串を刺しやすい立場にあったと思います。苦労しながら各省庁と調整して

物事が進む仕組みで、あらためて考えると非常に有効なシステムだったと感じています。

小磯　法律によって与えられた権限で仕事をするのに比べれば大変ですが、明確な政策目標を定めて、それに向かって調整して成し遂げたときの醍醐味は大きなものがありました。

橘　印象深いのは、小磯さんが特定地方交通線（国鉄再建法に規定された地方交通線のうち、バス転換が適当とされた旅客輸送密度四〇〇〇人未満、かつ貨物輸送密度が四〇〇〇トン未満の国鉄路線）対応でご苦労されていたことです。当時、廃線という厳しい選択をすることができたのも「権限なき調整」の成果かもしれません。権限はなくても何とかしなければならないという使命がありました。

小磯　国鉄改革の北海道における特定地方交通線対応で、鉄道行政に一切権限のない北海道開発庁が地元の対応に関わったことは、まさに「権限なき調整」の一例です。難しい仕事でしたが、真剣に地域にとっての鉄道の意義を考えました。調整力を高めるためには、長期的な視野を持ちながら説得する力が欠かせません。

北海道総合開発計画策定は一〇年先を見据えなければならない難しい作業ですが、将来のビジョンを示し、それをわかりやすく説明していくという努力の積み重ねが調整力につながっていると思います。北海道開発政策がアイヌ政策や北方領土隣接地域振興策などの極めて微妙で難しい分野の政策を調整し、新たな仕組みを実現できたのは、そうした総合調整の蓄積があったからでしょう。

橘　北海道開発政策で当時からよく議論されることが、なぜ国策として行うのかということです。地域を底上げするねらいもありますが、それだけでなく、各地のよさを生かして、国全体の発展をリードするという志があったと言えます。

二〇二二年に沖縄振興特別措置法が改正され、沖縄振興計画も改訂されましたが、沖縄でも法改正時に必ず「なぜ国にやってもらうのか」「国のために沖縄は何ができるのか」が議論になります。故小渕恵三先生が総理時代に沖縄でのサミットを実現させましたが、沖縄には東アジア交流の拠点、インター・リージョナルという視点で「万国津梁」、世界の架け橋になるというテーマがあります。北海道も洞爺湖サミットを開催し、今もゼロカーボンというテーマに挑戦しています。地域での取り組みをきっかけに、新しい潮流を巻き起こしていく志のようなものを示す意味合いがあると思います。

小磯　国の発展への貢献と地域の成長につながる戦略をどこまで提案できるかが、地域の側には問われています。今でいう「ウィンウィン」の関係性になっていくことが理想です。

私も沖縄は学ぶ点や共鳴する点が多くあるので、長く交流を続けています。北海道と沖縄は、互いに特別な国策が背景にある地域で、国に対して何ができるのかを追求してきている共通軸があるからでしょう。

橘　自民党内にある組織で、昔は「北海道開発特別委員会」という名称で、その後「北海道総合振興特別委員会」に変わった委員会があります。私と同期の伊東良孝先生が委員長になってから「北海道総合開発特別委員会」の「開発」を生かした名称に再変更しました。「振興」ではなく「開発」だという主張からで、私も共感しています。「振興」という概念ではなく「開発」であることが重要です。沖縄の法律は「振興開発」から「振興」に変更されましたが、日本をリードする志を立てるのであれば、「振興」ではなく「開発」であるべきで、この言葉に込められた意味があると思います。

小磯　「開発」という言葉は私もこだわりがあります。日本の政策では、安易に「開発」を捨てたように感じます。SDGsの「D」はDevelopment（開発）で、今も世界に共通する重要なコンセプトです。「開発」と「環境」を対立の図式で考えるのではなく、同じ土俵で議論していく前向きな姿勢が必要です。

北海道開発政策についても公共事業のイメージから脱皮しようと一九九〇年前後から、ソフトな政策分野に挑戦しました。快適な冬の生活環境づくりを目指した「ふゆトピア」や魅力ある農村・漁村づくりを進めた「ニューカントリー」、スカイスポーツなどの施策です。振り返ると橘さんと一緒に北海道開発庁でやってきた仕事は、ソフトな政策づくりが多かったですね。

例えば「ニューカントリー」事業は、予算も権限もない仕組みづくりが事業の核でした。今でいうプラットフォームづくりの先駆けです。そのような政策の仕組みづくりの発想やノウハウが、これからの地域政策では重要になるでしょう。

橘　「ニューカントリー」事業は大規模プロジェクトとは対照的で、一つ一つのまちに焦点を当てて、そのまちの要望を聞きながら、国、道と地元町村で協議会を設置して、目標に向かって何ができるのかをみんなで考え、それぞれの事業を足し合わせてつくり上げていくものでした。ビジョンを掲げて、ハードだけでなくソフトな政策も取り込んでいきましたが、その経験は、その後の高岡市長時代にも大いに役立ちました。

私が関わったのはほんのひと時でしたが、三〇年近く経っているのに、今でも北海道の方が「以前ニューカントリーに関わっていました」と挨拶に来られます。それだけ鮮烈な印象だったのでしょう。当時は北海道開発局の各開発建設部に地域振興対策室を設置して、国の担当者だけでなく北海道庁の土木現業所なども一緒に進めていく仕組みでしたから、新鮮に映ったのでしょう。

小磯　地方創生においてもニューカントリーのような、国、都道府県、基礎自治体が相互にざっくばらんにまちづくりを語り、お互いの良さを引き出せる仕組みや環境づくりが必要です。

橘　そういう仕組みや環境づくりは手間暇がかかります。でも、その手間暇を厭ってはいけません。お互いに語り合うことは非常に重要です。

当初の北海道開発庁の仕事は、道なきところに道をつくったり、泥炭地を開発したりという基盤づくりでしたが、次第にいろいろな政策ツールを取り込んできました。そのなかの一つが国際交流です。開発政策を担う仕組みや組織は他国にもあり、そうした国々と一緒に学び、さらにＪＩＣＡの研修にもつながるなど、日本のノウハウが生きていると感じます。

国際交流のきっかけは、公益信託を活用して新疆ウイグル自治区との交流を進めた河本基金だったと記憶しています。まさか国際協力にまで発展するとは考えもしませんでしたが、振り返ってみるといろいろ挑戦しながら、多様なツールを試していたように思います。

小磯　河本基金創設は、私と橘さんが初めて一緒に手掛けた仕事です。当時の北海道開発庁長官の河本嘉久蔵先生が私財を投じて北海道と中国の新疆ウイグル自治区との国際交流を進めたいと具体的な方策を事務方に指示したので、私たちは当時前例のなかった公益信託制度を提案しました。その後、私は国際室長として新疆ウイグル自治区で支援活動を行い、それが現在の中央アジアでの活動につながっています。

高岡市長の経験から

小磯　橘さんは北海道開発庁を退職後、出身地の富山県高岡市に戻られて企業経営者として活躍し、その後、高岡市長に就任されました。日本はまだまだ国の権限が強く、自治体が主導できる政策分野が少ないと感じます。地方自治体は政策予算も少なく、課題も山積しています。実際に市政を担っていた立場から、国、都道府県との関係も含めて、これからの基礎自治体のあり方をどのように考えていますか。

橘　高岡市長就任時のキャッチフレーズは「誰もが住んでみたいまち、行ってみたいまち」でした。この表現は、実は北海道開発庁の「ニューカントリー」事業がヒントです。住んでよし、来てよしの北海道型農村コミュニティはそのまま住みたいまち、行ってみたいまちになります。地元の資源に磨きをかけ、光を当てることが「ニューカントリー」のポイントでしたが、高岡市の強みは何か、そこに光を当てようという視点で政策を組み立てていきました。

ただ、自治体と国は違う側面があり、できることとできないことがあります。小・中学校の運営や市営施設管理などは自由度が高いのですが、何でも自由にできるわけではありません。特に、市長時代は三位一体改革で、地方財政を圧縮することが奨励されました。高岡市も基金を取り崩すなど、辛い時期でした。

この数年はコロナ禍でしたが、リーマンショック時に導入された臨時交付金があったので子育てや農業、エネルギーなど、それぞれのまちで特化したい事業を推進できたはずです。臨時交付金のような自由度の高い交付金は非常に効き目があり、自治体に政策の自由度があることは大切なことだと思います。

市長を経験して生まれたのは、基礎自治体は子どもたちを育む立場にあるのですが、子どもたちが外に出て行ってしまうことへの危機感です。流出した人口分の流入があるべきですが、若い人たちが自己実現できるような地域でなければ流入にはつながりません。地方創生でいう「まち・ひと・しごと」のなかで、それぞれがやりがいやいきがいを感じてもらえる個性的な地域づくりをやっていなければ、少子高齢化で追い込まれていきます。市長を辞めるころには、特にその思いが強くなりました。

それぞれの地域が自分たちで考えて実践すること、そして国はそれを応援するという姿勢が大切です。

市政のなかで重要と感じているのは、大学との関わり方です。高岡市には国立高岡短期大学がありましたが、二〇〇五年に富山大学と富山医科薬科大学と統合し、富山大学高岡キャンパスになりました。高岡市は鋳物や漆などの工芸都市なので、芸術文化学部が置かれて全国から学生が集まってきます。二〇一一年には市と大学で連携協力に関する包括協定を結び、学生たちがまちづくりに参加しています。北海道開発庁在職中は意識していませんでしたが、大学などの高等教育機関との連携は、地域開発政策のなかでも重要な要素になっていると思います。

小磯　私も地方大学の役割は、これからの地域政策のなかで大事な論点の一つだと考えています。地方自治体が自前で創り上げた釧路公立大学での活動経験から、大学の役割は非常に大きいと実感しています。当初釧路市は釧路市立大学を目指していましたが、自治省（現総務省）から市単独での大学づくりを反対され、当時の鰐淵俊之市長が釧路管内一〇市町村で一緒に設立する一部事務組合方式を提案し実現させました。それが先行モデルになって、その後宮崎公立大学、青森公立大学、公立はこだて未来大学などにつながっています。

国に対して主張し、反対されれば具体的に対案を示し、それを実現していくという気概を持った自立の精神から設立された大学であり、その心意気を学んでほしいという願いから、学長時代は入学式で必ずこの話をしていました。それが学生たちの釧路に対する愛着と、地方で活動する醍醐味につながっているように思います。

橘　釧路公立大学も域内だけでなく域外からの学生が多いと思いますが、それも重要です。

小磯　全国から学生が集まってきています。若者を呼び寄せる地域戦略としても大切です。もちろん卒業後に釧路市を離れる学生は多いのですが、応援団になってもらえます。

大学退職後は、卒業生をネットワーク化するお手伝いもしました。全国に卒業生がいることは釧路市の財産で、それをどのように生かしていくのかも大切な地域政策のテーマです。これからの地域活性化に向けて、自治体政策として地元の大学をいかに活用していくのかが問われています。

橘　大学との関わり方では、行政当局が何をしてほしいのかをしっかり大学側に提案していくことも大切です。大学は間口を広げているので、いい意味で対話しながら双方向な関係を築いていく必要があります。

大学だけでなく高専などの地元高等教育機関は、自治体の大切な武器になります。地域の高等教育機関との連携を生かしていく首長のマインドも必要です。

地方自治体で策定している総合計画を媒体にして、将来の都市ビジョンを描き、どんなまちにしたいのかを広く伝えていくことも大切です。うちはこんなまちだと主張できるまちづくりを実践し、市民とビジョンを共有していくことが求められていると思います。

北海道開発政策を進化させた復興庁

小磯　橘さんは二〇一六年八月から翌年八月まで、さらに二〇一八年一〇月から翌年九月まで、復興庁の副大臣を務められました。

橘　民主党政権下で東日本大震災を経験し、国として復興は重大だという認識はあったのでしょうが、当時の政権は福島第一原子力発電所の事故対応を優先されたようで、その枠組みがなかなか見えてきませんでした。

過去を振り返ると、関東大震災後に後藤新平が総裁を務めた帝都復興院などの経験があったので、それを参考に自民党内では復興庁を創設する動きが始まりました。復興庁創設が議論されていた時に、北海道開発行政の経験がある私にも声がかかりました。当初の議論で印象に残っているのは実施権限です。検討チームの他のスタッフは実施権限を持って、すべて復興庁が手掛けるべきだという主張でしたが、最終的には北海道開発庁と同じように復興庁で予算を一括計上し、各省で実施する仕組みに落ち着きました。北海道開発政策の枠組みが最も座りがいいということでしょう。一括計上システムの有効性も評価されたと思います。

復興庁は内閣総理大臣をトップにした専任大臣がいる組織で、復興事業を一手に束ね、その財源もセットにする仕組みになっています。主な財源は復興特別法人税と復興特別所得税です。仕組みとしては大臣がいた北海道開発庁と同じですが、復興庁は総理の位置付けが重く、「必要があると認めるときは、関係行政機関の長に対し、勧告することができる」（復興庁設置法第八条5項）という、各省庁に対しての勧告権限があります。

また、北海道開発政策では網羅できなかった子育てや福祉などの分野も取り組まなければならないので、全省庁から任期付きで出向者がおり、彼らが各省庁の橋渡し役になっています。垣根を超えて仕事ができるようにライン制ではなくスタッフ制で、プロパーはいません。宮城県、福島県、岩手県にそれぞれ復興局を開設していますが、北海道開発庁に比べると勧告権限があるので、非常に強力です。ソフトな政策も担っているので、産業振興や雇用問題など多岐にわたる分野に関わっています。北海道開発庁では企画室が調整役の中心でしたが、復興庁には全省庁の出向者がいるので大きな力があり、そういう意味では北海道開発庁の進化版だと思います。

小磯　北海道開発庁が目指した姿を復興庁で実現させたと言えます。

橘　「復興」という大義があったからです。県だけでなく、市町村までしっかり国がサポートすることが重要でした。岩手・宮城・福島の三県四二市町村を回って、御用聞きをして困っていることや悩んでいることを把握し、横串を刺しながら課題を解決していくという仕事なので、北海道開発庁時代と同じようなことをしていました。

小磯　国の組織でありながら、それぞれの自治体に寄り添った関係づくりを築いて政策を実現していくことは、非常に手間がかかったと思います。原点は「ニューカントリー」事業の経験のように感じます。

橘　復興庁では、ある程度ハードの整備が終わったところでソフトな政策の取り組みも経験し、北海道開発庁時代よりも幅広い政策に関わりました。現在は宮城県と岩手県はある程度ハードの整備が終わり、産業政策と心のケアの施策が中心です。ただ、福島県は故郷に帰ってもらうための手立てや産業興しなどが、これから本格化してきます。

二〇二三年四月に福島国際研究教育機構（F-REI）という研究所が設立されました。沖縄科学技術大学院大学（OIST）をお手本にして科学技術力・産業競争力の強化を牽引し、経済成長や国民生活の向上に貢献する、世界に冠たる「創造的復興の中核拠点」を目指しています。世界中の技術者に福島の浜通りを訪ねてもらい、放射能や廃炉、あるいは大規模農業展開の可能性を議論してもらうなど、いろいろな発展を期待しています。

復興政策でも教育研究機関は一つの柱です。産業ビジョンを組み合わせながら、福島に住んでいた皆さんが帰ってきてくれる体制づくりを整備しています。既に、中高一貫のふたば未来学園が開校していますが、F-REIはさらなる高等教育研究機関の設立になります。東京~筑波~福島の浜通り~東北大学~仙台空港と、日本のR&D(研究開発)の回廊を担うというビジョンで推進しています。

復興庁の経験では政治力の重要性も感じました。ある地域や政策に強い思いを持つ政治家が一人でもいれば流れが変わります。今は毎年の「骨太の方針」が重要視される傾向がありますが、五、六年前に私も「北海道開発」という文言を入れてもらう仕事をさせていただきました。政治力をうまく利用する視点は、これからの北海道にとっても大切な要素だと感じます。

小磯　今もしっかりと北海道へご支援、ご尽力いただいており、大変感謝しています。北海道開発のように特定地域に関わる政策を実現するには、政治との連携が欠かせません。特定の、あるいは特殊な命題を背負った地域においては、その地域を深く理解している政治家との関係構築は政策手法としても重要なテーマだと感じます。

長く国際協力の活動をして感じることは、地域政策の分野において、日本は世界に発信できる政策経験を積み重ねてきているということです。明治以来の日本の近代国家づくりは欧州の国々にはない独自のアジアモデルと言えます。JICAでは、北岡伸一前理事長の時代から日本の近代国家形成の経験を世界の途上国に発信するＪＩＣＡチェア（ＪＩＣＡ日本研究講座設立支援事業）を進めています。そこで私は、戦前の北海道における開拓使や内務省北海道庁による集中的な重点投資や長期計画に基づいた政策手法を途上国に伝えています。特に、法律にはない予算措置として、長期計画に基づいた自賄い主義で重点投資を進めた拓殖費の仕組みは、途上国でも有効な政策手法になると感じています。

橘　北海道拓殖計画時代の仕組みは、長期計画があることや特別会計で進めている点で復興政策と近いものがあります。全体額のフレームがあるので、毎年の予算要求基準や基礎的な財政収支と関係なく、政策を遂行できます。

小磯　途上国の皆さんに地域開発政策を講義する際は復興庁についても紹介しています。北海道拓殖費は内務省解体によってなくなり、予算は農林省や建設省などの各省に引き継がれましたが、終戦から五年後に設立された北海道開発庁に一括計上という調整の仕組みが残りました。調整するための大義名分が長期の総合開発計画です。結果的に北海道では拓殖計画から続く長期計画に基づいた政策が展開されてきています。こうした仕組みや体制が過去のものではなく、現在につながっていることを認識することが重要です。日本の近代国家建設のなかで生まれた、北海道開発政策という特定地域に対する政策スキームが、東日本大震災後の復興政策システムへと、今でも脈々と引き継がれているのです。

橘　復興庁では北海道開発庁時代の蓄積が花開いて政策システムとして意義のあるものにな

りました。市町村や各省庁とのお付き合いを含めて、当時の経験は非常に役に立ちました。

小磯　地域開発政策を考えていく上では、開発政策に特化した政策金融機能も重要です。特に途上国の経済協力の現場では、それを痛感します。戦前の北海道拓殖銀行が政策金融の位置付けでしたが、一九五〇年に民間の普通銀行になったので、一九五六年に北海道開発政策に特化した北海道開発公庫が設立され、翌年に北海道東北開発公庫になりました。北海道開発の特徴的な政策システムでしたが、その後、日本政策投資銀行に事業承継され、北海道における独自の政策金融機能は弱くなりました。

しかし、北海道で民間事業者への地域政策面からの金融支援ニーズが減少したわけでありません。例えば、多くの地方が抱えている課題に地域公共交通があります。市場メカニズムが働く大都市では民間の交通事業者に任せてもいいのでしょうが、地方はどこも経営は厳しく、地方における公共交通を政策金融がサポートしていく仕組みづくりなどもあるように感じます。

橘　「地域開発政策に関する国際会議」で関係者を招聘したスコットランドでは、政府の傘下にありながら独自の権限をもった高地離島開発公社が融資や出資機能を担っていました。他国の事例を踏まえても特定地域の政策を進める上で、政策金融的な組織の関与は重要だと感じます。

北海道東北開発公庫が日本政策投資銀行に統合されたことで、沖縄振興開発金融公庫も統合議論がないわけではありません。でも沖縄の皆さんは何とか残してほしい、必要だと主張しています。特に、コロナ禍で駆け込んだ方は非常に多く、平時とは比べものにならない融資規模になって大活躍でした。商工中金や日本政策金融公庫でも融資はしていますが、地元の公庫という安心感があるようです。琉球銀行や沖縄銀行などの地元金融機関との協調融資という点でもリードしてくれる公庫の存在は大きな力になっています。

小磯　ちょうどコロナ禍の二〇二一年、沖縄で川上好久沖縄振興開発金融公庫理事長とお会いした時に、公庫がまとめ役になって観光事業者などに積極的に支援されていることを聞きました。当時私は北海道観光振興機構の会長を務めていたので、複雑な思いでした。政策金融の一つの存在意義は、民間銀行の機能をうまく発揮するための牽引役です。政策金融には欠かせない機能で、今後の地域政策を考える上でもあらためて議論していいテーマだと思います。

地方創生を振り返って

小磯　安倍政権下で進められた地方創生には、大きな期待を持っていました。石破茂大臣の当初のメッセージも非常に力強く受け止めました。ところが、以前の国土政策と比べて、ややや期待はずれの感がありました。

橘　私は二〇〇九年に衆議院議員に就任しましたが、当時は国の規制や市場への介入を抑制して、自由な競争を促すべきだという新自由主義の考え方が主流で、国土の均衡ある発展への批判が強く、「そんなことを言っているからバラマキになるのだ」という声に押されていました。国土計画に長く携わった下河辺淳さんにも会って話を聞きましたが、この流れは当分変わらないと悲観的に見ておられました。

ところが消滅可能性都市を指摘した増田レポートを火付け役に、一気に地方への関心が高まりました。安倍政権でもこの問題に向き合わなければいけないという機運が生まれ、「まち・ひと・しごと」をキーワードに、魅力ある地域に若者や子育て世代をどのように貼り付けていくのかという議論が始まりました。ただ、大きな予算を確保することは難しいので、個人的には「ニューカントリー」のような手法だろうと感じていました。全国一七一八市町村をすべてカバーすることは難しく、それぞれのまちの個性を引き出していくまでに底上げしていくことは至難の業だったと思います。

小磯　北海道大学の研究者と一緒に、道内全市町村へのアンケートと、いくつかの市町村のヒアリングを実施して地方創生を検証しましたが、期待と不安が入り混じっていたという印象です。ただ、人口減少に真正面から向き合うきっかけを与えてくれたという評価はありました。国との関わり方では、きめ細かい国の対応に手応えを感じた市町村があった一方で、業務に忙殺されたという声も多くありました。人口ビジョンや総合戦略の策定、ＫＰＩの設定、しかも早く策定すればたくさん交付金が出るなど、地方に任せてもらえるはずなのに、意外と手間がかかり、交付金もだんだん使いにくくなっていったという声がありました。

個人的に強く感じているのは、人口減少に向き合う政策であるにもかかわらず、国の動きが見えなかったことです。二〇二三年三月にようやく文化庁が京都に移転しましたが、政府機関移転のような大胆で具体的な目に見える政策はほとんど見られません。

当時から私は大学問題についても声を上げていました。最も出生率の低い東京都に二六％もの大学生が集まっています。この構造を生み出している高等教育政策に目を向けないと、人口減少解決の糸口は見えないと、今も主張しています。

私は下河辺さんが指揮を執った第三次全国総合開発計画時代に部下として仕えましたが、三全総では、教育・文化・医療という政策で地方を変えていくという新しいメッセージを発信しました。国土政策を考えていく上で高等教育機関の役割は、非常に大きなものがあります。戦前はナンバースクールと呼ばれる高等教育機関が各地にあり、例えば夏目漱石が熊本の第五高等学校に赴任して教鞭を執っていました。地方重視の高等教育政策があったのです。人口減少下で高等教育機関の地方分散は不可欠です。地方創生で大学の定員数是正などの対応はありましたが、本格的な議論につながらず、そこは残念です。

橘　地方における高等教育機関、さらに省庁移転問題は重要なテーマです。大胆な省庁移転に取り組む国も見られますが、日本はようやく文化庁が京都に移転する程度です。確かに政府機関の移転をやるくらいの覚悟がなければ、本気度は伝わりません。これから「国のかたち」をどのように変えていくのか、地方をどのように変えていくのか。それを見える化できなかったという忸怩たる思いを持っている人は多いと思います。

小磯　韓国のソウル都市圏への人口集中は日本以上ですが、政治主導で世宗市への首都機能移転を進めています。政治レベルで地方に目を向ける一つの象徴的な政策は、政府機関の移転でしょう。

橘　これまで思い入れのある政治家が一人でもいれば、政策が動くことを何度も目にしてきましたが、ハイレベルの政治案件として誰かが旗を振らなければ進みません。国が変わらなければ民間もついてきません。首都機能移転ができていれば、民間企業の地方移転はもっと進んだでしょう。

小磯　竹下登政権下で全市町村に一億円を交付したふるさと創生事業時に北海道開発庁長官の秘書官を務めていましたが、竹下総理の強い思い入れを直接肌で感じました。政治家の強い信念がなければ実現しなかった政策です。

橘　首都機能移転はこれからの課題です。田園都市国家構想を提唱した大平正芳内閣ではいろいろな学識者を総動員して、この国の将来の姿を骨太に議論していました。あのような取り組みはみんなの憧れです。ただ、今はコロナ対応や不安定な世界情勢など、目の前の課題が多すぎて、その対応で手一杯な状況があります。

夢を描く議論を

小磯　橘さんは総務省で政務官も務められていましたが、デジタルを取り込んだ政策は地方にとって重要なテーマです。デジタル田園都市国家構想も進められていますが、ＩＣＴ技術の活用で地方のハンディがなくなれば大きなメリットです。今後、デジタル化戦略はどうなっていくのでしょうか。

橘　まずはマイナンバーカードをいろいろな場面で活用できる体制づくりです。デジタル化による未来予想図はきれいな絵が描けますが、一番大切なことは同時に仕事の仕方を変えていくことです。具体的にどのように変わったのか、どこが楽になったのかをしっかり見せていくことが大切です。

国勢調査をデジタルで回答した人はわかると思いますが、用紙に記入して回答するより、はるかに楽だったと思います。過去数回の国勢調査で試行錯誤しながら、二〇二〇年調査は非常に良いかたちで導入されてサクサクと回答できるシステムになりました。こうした蓄積を発展させて、各種申請を簡単にできるように構築していくことです。ユーザーであり、お客様である国民とのインタラクティブな関係のなかから進化させていく必要があります。

自治体の基本的業務のクラウド化を目指す動きも進んでいます。どこの市町村でも共通する業務があるので、それを同じシステムにするとかなり省力化できます。システムが一つになれば、税制改正後のシステム改修が不要になるなどのメリットもあります。どれくらいユーザーフレンドリーなものを提示できるかがポイントになるでしょう。

小磯　デジタル庁は日本のどこに住んでいても幸せになれる、そのような社会をデジタルで実現するというミッションを謳っていますが、とても重要だと思います。

　個々の地域に向き合い、事情がある地域には特例を認めるなど、地域ごとにきめの細かな対応ができる仕組みをデジタル技術で実現させ、それが政策に反映できればいいですね。

橘　DXやGXなどはまだまだ途上です。特にGXは原子力を含めて、エネルギー政策が定まっていない状況があります。そこで必要なことはビジョンではないでしょうか。「開発」という言葉が政策の中に組み込まれなくなり、ビジョンや計画の位置付けが弱くなっています。北海道開発庁が国土交通省北海道局になってインフラ施策に特化したこともあり、SDGsにどう向き合うのかなど、大きなテーマに挑戦する環境が今の北海道開発政策にはないように感じています。

　将来に向けて夢を描くことは大切です。沖縄では長く鉄軌道の整備が叫ばれてきました。那覇市内にモノレールは整備されましたが、沖縄に鉄軌道を導入しようという思いが根強く残っています。でも、地域政策として、どこにどのように軌道を引くのかという将来像が描かれていないために、用地買収などがどんどん難しくなっています。普天間基地の跡地に鉄軌道を引くくらいの大胆なビジョンを描いて、どのように整備するのかをしっかり議論し、沖縄の一大プロジェクトにするくらいの位置付けがあってもいいのではないかと感じることがあります。
地域ごとのビジョン、夢の描き方のようなものをもう少し先導するような動きがあってもいいのかもしれません。特に、北海道の地方交通線は大きな課題です。外から見ていると、単に赤字路線を廃止していくだけの議論になっているように感じます。この問題は、地域政策としてどのように向き合っていくべきかをしっかり議論しなければいけないと思いますが、議論を持ちかけてもＪＲ北海道の経営問題に議論が転換されてしまいます。本来はもっと骨太な議論が必要です。
北海道にはエネルギー供給など、いろいろな役割があります。もう少しダイナミックな発想をもって取り組んでほしいと感じています。

小磯　北海道は再生可能エネルギーの宝庫です。北海道から安定的に電力供給を行うためには、送電連系システムを強化していくことが極めて大事です。実は、北海道と本州との送電連系が政策として登場するのは、一九七一年の第三期北海道総合開発計画です。そこで「送電連けいを実現する」という文言が初めて書き込まれました。当時の通商産業省を説得して、北海道開発政策として位置付け、結果的に北本連系の送電線整備を実現させ、現在の送電線増強の動きにつながっています。夢を描いて、それに向かって一歩ずつ施策を積み上げてきた成果です。

橘　東日本では電力供給に苦労していますが、泊原発の稼働や再生可能エネルギーが充実すれば、北海道から送電して首都圏の電力問題に寄与できるようになります。これは送電連系がなければできなかったことです。日本全体や世界に目を向けて、広い視野で発想していくことの重要性を物語っています。

小磯　総合開発計画は長期的な視野で考えていくので、夢を描くための議論ができるはずです。三期計画に送電連系を書き込んだことで、その後北海道開発計画費の調査予算がつき、電源開発による事業化につながりました。政策とは、そのような「仕掛け」をしていくことでもあります。

橘　インフラにとどまらず、可能性のあるもの、夢のあることを広げていってほしいと思います。国土総合開発計画は国土形成計画という名称になりましたが、国土政策的な観点からの夢が必要です。今日のテーマである「地方からの国づくり」につながりますが、国家的な課題を解決するなかで、それぞれの地方に役割を持たせて、それぞれの地域が何を分担するのか、何を軸にしていくのかを考えることが大切です。福島県の浜通りでF－REIがスタートしましたが、拠点は浜通りであっても仙台から東京までを俯瞰して考えるという視点があります。北本連系線も北海道だけでなく、東日本全体を捉えて、北海道に何ができるかという視点で考えていくべきです。

小磯　夢を語る状況が日本の中に出てくることが、地域づくり、国づくりの議論を誘発していくのではないでしょうか。それが強い国づくりにつながっていくと思います。

橘　そこでは残された課題である首都機能の移転、あるいは高次都市機能の移転という表現の方が的確かもしれませんが、その議論も関わってくるでしょう。

地域にとって何が大切なのか、良いところはどこか、困っていることは何かを掘り起こせば、それがヒントになります。そこからやるべきことを考え、法律の枠組みを確認し、新たにできることを考えていく。昨今は「計画」が排斥されて、すべてが「戦略」に置き換わっているように感じます。骨太の方針もそうですが、単年度主義で成果を求められるようになってしまいました。昔は五～一〇年先を見据えた計画を軸にしてきたのですが、今はなぜかそれを厭う空気があります。短期で答えを出すことも必要ですが、もう少し先を見据えた計画も重視すべきではないでしょうか。長期的な視野で考える計画の重要性を誰かがしっかり発信していかなければいけないと感じます。

小磯　それは国だけでなく、地方自治体も同様です。長期的な視野で考える政策に興味や関心を持つ人材を育てていくことの必要性を実感しています。政策形成力とは、法律やルールに基づいて正確に仕事をする能力だけでなく、地域社会が置かれている状況を正しく理解し、そのなかでどのような政策が必要かを考えることだと思います。国の政策に追随するのではなく、問題意識を持って考え、創造的な政策を提起していくことは自治体職員の醍醐味でもあります。

北海道には開拓使時代から一五〇年以上も継続して長期の総合計画がつくられてきた歴史

があります。このような地域は先進国のなかでほかにありません。微力ですが、私もその伝統と北海道の経験を新しい世代につなげていきたいと思っています。今日はありがとうございました。

小磯修二 × 山崎幹根

北海道大学公共政策大学院教授

地方政府のあり方

山崎　幹根（やまざき みきね）

北海道大学大学院博士課程単位取得退学。博士（法学）。釧路公立大学経済学部助教授、北海道大学大学院法学研究科助教授などを経て、2007年北海道大学公共政策大学院教授。2013～15年、2024年同院長。スコットランド・アバディーン大学客員研究員のほか2015年から１年間スターリング大学客員教授。著書に『「領域」をめぐる分権と統合 スコットランドから考える』、『国土開発の時代　戦後北海道をめぐる自治と統治』、共著に『スコットランドの挑戦と成果―地域を変えた市民と議会の10年』、『グローバル化時代の地方ガバナンス』など。

2022年９月６日対談

地方政府のあり方を考える研究会

小磯　山崎先生とは二〇年以上にわたって、一緒に多くの活動をしています。その間、研究者の視点でどのように地域政策にアプローチしていけばいいのか、多くの示唆をいただき、大変感謝しております。今日は、これまでの活動も振り返りながら、これからの地方政府のあり方について考えていきたいと思います。

山崎先生と初めての研究活動は、私が釧路公立大学地域経済研究センターで最初に取り組んだ共同研究「今後の地方政府のあり方に関する研究」（以下、地方政府研究会）です。一九九九年一二月から二〇〇一年三月の期間で、座長は新藤宗幸先生でした。当時は地方分権の潮流があり、地方がそれをしっかり受け止めていくためには、地方政府についての歴史的な変遷、世界の地方政府制度や改革の動きを実証的に研究していくことが大切だという問題意識で、多くの研究者が釧路や札幌に集まって議論を重ねました。私にとっては、研究者の立場であらためて地方自治を学ぶ貴重な機会でした。私は、研究会で国土総合開発計画、北海道総合開発計画の政策経験から、安定した経済発展、地域づくり政策の観点からの地方政府のあり方について提言させていただきました。

山崎先生は当時北海道開発政策について、国と北海道との関係から考察しておられました。

山崎　当時は地方分権の時代で、国主導の集権的な仕組みから、いかに自治体が主導していくべきか、あるいは地方の声を反映するような地域政策をつくる仕組みがどのようにできていくのかに大きな関心がありました。

あのころは地方分権だけでなく、公共事業のあり方も考え方が変わってきていて、ハード中心の大規模なインフラ整備が本当に地域を豊かにするのかが問われていた時代です。それらを含めて、地域が主体となって総合的に将来のあり方を決める決定権を、誰がどのように持つのかを考えていました。

北海道開発政策の仕組みも地域の決定権を高めていく方向に変わっていくべきだと考えていましたが、研究終了から時間を経て、違う視点も意識せざるを得ないことを認識し、考え方も変わってきました。国が決めていたことを地方が決めていく、あるいは地方で運営していくことが分権の流れであり、地域による自己決定という理念は、今でも間違っていません。ただ、北海道拓殖銀行の経営破たんによる北海道経済の冷え込みや広域自治体である北海道の財政の厳しさが増していくなかで、分権の担い手として期待される北海道庁の政策形成をはじめとする自治体運営はかなり厳しい状況に直面しており、そこをしっかり認識しなければいけなかったと考えています。

あのころの北海道庁は時代の変化を踏まえた施策・事業の再評価を行う「時のアセスメント」など、全国に先んじたユニークな取り組みを打ち出していました。それとともに、拓銀破たん後は北海道経済の地盤沈下を押しとどめるための対策でかなりの苦労がありました。当時、景気対策や追加的な公共事業を行うために発行した多額の地方債は今でも道財政の制約となっており、他府県と比べても自主財源が少ないなど自治体運営で苦慮しています。

小磯　分権の議論については、与えられた権限を受け止めていく地域の力があるかどうか、それを実証的に見極めていくことが大切ですね。

地方政府研究会で印象に残っているのは、ヨーロッパが抜本的な地方制度改革に踏み切っていたことです。イギリスではロンドン全体を管轄する地方政府であったグレーター・ロンドン・カウンシル（ＧＬＣ）が廃止になり、直接公選制の市長と少人数の議会というスリム化された体制になっていく過程は新鮮に映りました。日本で、あのような大胆な地方政府改革の実験は難しいと思いますが、諸外国の経験を検証していくことの大切さを学びました。

フランスも印象的でした。中央集権型という点では日本とよく似ているのですが、一九八〇年代に思い切った分権改革で全国を二二の州（レジオン）に分けました。かつてフランスには国土整備や国土開発を担うダタール（ＤＡＴＡＲ）という地域開発機構があり、国土政策の観点から関心を持って調査したこともありましたが、その地方支分部局が分権改革で地方自治体として機能するようになっていたのにも驚きました。ミッテラン政権下の政治的なリーダーシップで実現したものですが、日本でもやる気になれば、思い切った地方制度改革ができるはずだと強く感じました。

山崎　良くも悪くも日本の地方自治制度は固定的、画一的です。

イギリスでは、広域自治体と基礎自治体を一層制にしたり、スコットランド、ウェールズ、北アイルランドという領域に基づいた政府と議会を創設するなど、一国多制度型の自治を実践しています。フランスも日本の県に当たる地方自治体の上に、広域的な行政機関であるレジオン（地域圏）を設置しましたが、後に地方自治体へと改革され、近年は全土で一三へと再編されました。ところが日本では国、都道府県、市町村という仕組みを変えることはできませんでした。

中央省庁の枠組みも同じで、各省の設置法があり、再編が簡単にできません。こうした状況下で、政治や行政の制度を所与のものとして考えていくのか、あるいは白紙にして考え直してみるのか。地方政府研究会では、その思考実験の手掛かりの第一歩となる研究ができたと思います。あるべき地方政府を考える出発点になり、大きな成果がありました。

分県論と道州制

小磯　地方政府研究会を立ち上げるきっかけの一つに、分県論があります。これは今でも北海道で話題になるテーマです。四国は四県、九州は七県ですが、北海道は一つで、同じ国のなかで一つの行政体で統治している地域と、四つや七つで統治している地域があるわけです。

北海道では、ほんの一時期ですが分県論が活発に提起されたことがあります。また、北海道開発政策に長く携わった大先輩の大西昭一さんが事務次官を退官後、それまで口にしてこなかった分県論を積極的に発信したことがあります。そこには、北海道の発展のためには地域内の競争力を生み出す構造的な制度改革が必要だという問題意識があったのだと思います。

山崎　望ましい社会経済活動や自治の単位をどう捉えるかという本質的な問題で、今も答えを模索しているのではないでしょうか。北海道が広すぎるという社会経済的空間の課題と、札幌一極現象の深刻化という難問ゆえに、いまだに北海道分県論が提起されるのでしょう。北海道選出の知事が複数名いることの効用を説く意見もあります。ただ、私は単に分県すればいいということに与することができません。北海道が一つであることのメリットもあるからです。九州の人たちからは、県がなく、一つの北海道はうらやましいとよく言われます。いくつかの県をまとめていくためには、相当な政治力や行政の調整力が必要になります。

過去の北海道分県論では、分けた県でどのような自治をしていくのか、どのような地域運営を目指すのかというビジョンが欠けていました。望ましい社会経済の単位として、どのように自治体を運営するのか、自己決定をしたいのかという議論が十分ではありませんでした。戦後の北海道分県論には、こうした点に物足りなさがあります。

小磯　一つの単位で地方政府として統治されている北海道において、どのように地域内の競

争力によるダイナミズムを醸成させていくのかという視点での議論は引き続き必要だと思います。そこを九州や四国などと比較しながら、より実証的に検討していくことが必要でしょう。

一つの道という地方政府の単位で、どのように政策遂行していけばいいのか。それを問われたのが、道州制の議論でしたが、結果的には北海道における望ましい地方政府のあり方という議論には結び付かないまま終わってしまいました。

山崎　道州制が議論されていたのは、ちょうど私がスコットランド留学から帰国したころでした。スコットランドでは包括的なかたちで行政権限及び立法権が移譲されていました。日本でも同じようにほとんどの内政について自己決定権を確立できれば究極の地方分権になります。当時の道州制議論もそのような方向を目指しているのかと関心を持っていましたが、そうではありませんでした。ローカルデモクラシーを強めていく、地域における自己決定権を確立するという道州制であればよかったのですが、残念ながら、国の行政改革の手段として道州制が位置付けられ、議論が進みました。北海道庁からもいろいろ具体的な提案も出されていましたが、それを束ねたかたちで北海道庁に包括的な行財政権限が移譲されることにもならず、非常に残念でした。

道州制議論が混迷した理由の一つは、北海道にとっての道州制のわかりやすさとわかりにくさがあったと思います。北海道は広域自治体が一つで、国の出先機関の管轄区域も一つです。道州制を実現する場合、国の出先機関を地方自治体に変えていくという意義はわかりやすかったでしょう。他方で、県がない北海道で、広域自治体である北海道と国の出先機関が一緒になっても、道民からすると何が変わるのかがわかりにくかったのでしょう。

最大の問題点は、「道州制」と「道州制特区」が混在し、違いが明確に整理されないまま議論が拡散していったことです。そもそもの「道州制」では、日本国の中の北海道における自治と統治をどう考えるのか、さらには国策としての北海道開発政策や北海道開発制度をどのように変えていくのかという議論も必要ですが、出先機関の統合というテーマだけが注目されていました。小泉内閣は、検討はあくまでも「道州制特区」のみという姿勢でした。そして、特区という枠組み上、地方から国に提案したアイデアが面白ければ認められるという手続き上の方針が混乱に拍車をかけました。北海道庁からの提案も実現可能性を問われるので、だんだんスケールダウンした個々の事務事業になっていかざるを得ず、国と道との折衝で相当な時間が費やされてしまいました。苦労の末、制定された道州制特区推進法も、権限移譲に対する国の極めて消極的な姿勢から、形骸化してゆき非常に残念です。

小磯　私も同じ思いです。振り返れば、小泉元総理の発言は、北海道は一つだから道州制を実現するにはやりやすい地域だという政治家としての感覚で、しかも北海道には北海道開発局があり、外務省の定員を上回る職員がいる。そこに道州制を導入すれば行政改革を進めていけるという単純な発想であったと思われます。しかも、国が最初に特区の手法で道州制を進めることを明確にしなかったこともあり、同床異夢の議論になって大変混乱しました。

ただ、北海道にとっては、貴重な経験として次の世代に継承していく必要があると思います。当初北海道庁では道州制が実現されるかもしれないということで真摯に議論しました。私も道州制の検討会メンバーでしたが、道州政府として、どういう権限を要求するかというそれまでにない前向きな議論でした。例えば、当時、私はハローワークの権限を地方に移譲すべきだと主張し、それまで議論されたことのないテーマで賛否の声がありました。経済界からは道州政府が新千歳空港を運営してはどうかというような大胆な提案もあり、自主的に地域戦略を考える気運が盛り上がったことを覚えています。

結果的には、政治的な落としどころとして、道州制特区推進法という骨抜きに近い法律が制定されました。それから二〇年近く経過しましたが、北海道のこの経験を次の世代にどのようにつないでいくかが問われていると思います。地方分権や権限移譲は強引に勝ち取るものです。そこでは戦略を練り、過去の経験を反省しながら向き合うことが必要で、受け身で移譲されるものではありません。受け皿として道州制特区推進法という法律があることは重要です。これを北海道庁が独自の構想の実現に向けた戦略ツールとして、したた

かに活用していく議論も必要だと思います。

支庁制度改革の反省

小磯　戦後の北海道総合開発計画における難しい問題は地域区分でした。国の北海道総合開発計画と北海道の計画は、今は六つになっていますが、多くの変遷がありました。北海道をどのように地域区分して政策展開していくかについては、北海道開発庁と北海道庁が調整して一九八八年の計画からは六つの生活経済圏を基本的な区分とすることになりました。

一方で、北海道では戦前から変わらない支庁制度があり、今も数は変わらず、一四の細分化した総合振興局と振興局で政策が進められています。それを計画で採用している生活経済圏の六つの地域単位に合わせて再編していけないかという検討が行われたことがあります。

支庁制度改革議論の過程で、二〇〇五年度に北海道企画振興部で六つの生活経済圏を検証し、そこで新しい総合開発のあり方をまとめて計画の単位と支庁再編を連携させた政策提言をしましたが、最終局面で計画づくりと支庁再編は切り離していくことになりました。北海道総合開発計画と北海道の長期計画、そして地方政府制度の一つの枠組みである支庁制度の再編がいい意味で連携できる貴重な機会でしたが、最終的な政治判断で挫折してしまいました。結果的に支庁再編も数は変わらず、総合振興局と振興局に名前を変えただけの中途半端なかたちで終わってしまいました。

今後の北海道における地域政策の展開に向けて、総合振興局と振興局の地域区分がマッチしているのかどうか、人口減少時代における地方政府のあり方として望ましい姿かどうかは、しっかり見極めていかなければいけません。この経験を、どのように次のステップにつなげていくのか、政策研究者として心掛けておくべきテーマだと思っています。

山崎　六つの圏域数がどんどん変わっていって、支庁制度改革は非常に迷走しました。さらに、どのような支庁にしていくのかが定まっていなかったと見ています。県庁に準ずるような「大きな支庁」で運営していくのか。あるいは権限を市町村に移譲して、「小さな支庁」でやっていくのか。当時は市町村への権限移譲も進めていましたが、行政機関の再編や再配置という視点だけでなく、市町村との関係性をどのように考えるかということが定まらなかったことも一つの要因だと思います。

小磯　この問題の難しさは、支庁がなくなる地域からは、必ず反対されることです。したがって中途半端な再編改革は無理だと思います。思い切って三〇年先、半世紀先の北海道を見据えて、長期的な視野から決断し、説得していくという、政治的なリーダーシップで進めていくしかないと思います。

ヨーロッパの経験を見ていると、政治的な判断で決まっています。そこでは、その決断を理論的に支えていく我々政策研究者の役割も大切です。

山崎　残念ながら理想と現実はかけ離れています。支庁再編に反対した地域は、行政機関や職員がいなくなってしまうと、地域経済にとって死活問題だという文脈で声をあげます。一方で、支庁、今でいう振興局を巻き込んだ独自の地域政策の実践や連携には積極的ではありません。こうした提案や経験が蓄積されなければ、限りなく縮小していく結果になると危惧します。最近は振興局の存在が形式化、形骸化していると聞くことがあります。今後はそこをどう変えていくのか。悩ましい難しい問題です。振興局の存在が空洞化しつつあり、積極的に政策を展開する単位になり切れていないことが、大きな課題です。

他方で、市町村も人材確保がかなり困難になっていて、日常業務がおぼつかない状況が深刻化しつつあります。例えば、土木建築などの技術的な案件でわからないことがあれば、振興局に問い合わせるケースも日常的にあるようです。

今後はいっそう、離島や日本海沿岸、旧産炭地域などへの配慮も必要になってきます。市町村が単独で地域を運営することには限界が生じてきます。北海道庁と振興局には、広域自治体としてこうした市町村を補完する役割が期待されます。国によるさまざまな政策手法を組み合わせて、地域特性を生かした産業を興しながら前向きに競っていく地域政策と、人口減少が看過できない地域に対して国土保全・環境管理の視点を合わせた地域政策を、それぞれ考えていかなければいけないと思います。

小磯　疲弊した地域に対して、市町村では支えていけない分野を北海道庁がどのようにサポートしていくかという視点は大切です。昔は、交通・通信が不便だから支庁を置くという考え方があったと思いますが、今はデジタル技術の進展もあり、新たな仕組みに向けた議論が必要でしょう。

市町村合併の評価

小磯　地方政府のあり方を議論する上では、平成の市町村合併を振り返る必要があります。平成の大合併が進められた後半に設置された北海道市町村合併推進審議会で、私は会長を務め、山崎先生も一緒に委員として参加いただきました。

歴史的に振り返ると、明治の大合併は義務教育である小学校の健全な運営の規模に合わせ、昭和の大合併は義務教育の中学校の運営規模に再編したという、何のために合併をするのか、明確なわかりやすいメッセージがありました。しかし、平成の大合併は財政上の理由という目標がわかりにくいものでした。北海道の市町村数は二一二から一七九になりましたが、全国では西高東低と言われるようにそれほど合併は進みませんでした。西尾勝先生は知事の指導力と気質の差が要因と指摘しています。国は当てにならないと見極めた西と、いずれ何とかしてくれると考えた東という分析です。

山崎　東西の地域特性の一面を言い当てていると思います。

小磯　私も同感ですが、人口減少時代において市町村合併は、避けて通れないテーマでもあります。審議会の会長として各地に出向いて市町村長と議論しましたが、ほとんどの首長が、

「今はダメだが、将来的に合併は避けて通れない」という認識でした。しかし、二〇年経過しても、合併についての議論はまったくありません。

審議会の終了時に「北海道市町村合併推進構想」を示しましたが、事務局と相談して北海道における将来の市町村再編の姿を打ち出しています。将来の道民が市町村に対して求める行政サービスとして医療や福祉分野の比重が高まってくるという想定で、それらのサービスを安心して受けられる「第二次保健医療福祉圏」が、将来の市町村の目指すべき方向ではないかということを思い切って書き込みました。市町村合併の評価はまだ定まっていませんが、その痛みを検証して、忘れることなく次に向き合っていく議論が必要でしょう。

山崎　合併はあくまでも自治を運営するための一つの手段なので、どのような地域づくりをするのか、どんな自治を目指して、どのように自治体を運営していくのかというビジョンがあって、それを達成する手段として合併すべきか、あるいは自立する道を選ぶかという思考が必要です。でも、当時それをどこまで突き詰められたのかという反省があります。

良い合併と悪い合併があると言われますが、それは的を射ています。良い合併にするために総務省からはいろいろな要請があったでしょう。一方で、自立を選んだまちにも良い自立と悪い自立があります。前向きに自立を選択した自治体がある一方で、現状維持で何もしていないまちもあります。あるべき地域をどのようにつくっていくのか、どのように運営していくのか。そのために望ましい自治とは何かということが、掘り下げられなかったことは残念でした。
ただ、非常に厳しかった地方財政改革も嵐が過ぎ去って、今は緩和されています。地方交付税制度と過疎債が現行通りにあれば、現状維持で最低限の行政サービスはできるような仕組みになってしまっています。

小磯 今振り返ると、合併をしなければ大変なことになるという脅しのような雰囲気がありました。ただ、自立を選んだことを契機に、前向きな政策展開を進めている自治体が出てきています。一方で、あえて市町村合併に踏み込んで、将来のために犠牲になった町長や村長もいます。この方たちの決断を政策的にどのようにつないでいけばいいのか。これは政策決定に携わるものにとって、忘れてはいけないことでしょう。

山崎 問題が先送りになっている面もあります。例えば、上士幌町や東川町など、合併せずにユニークな自治体運営を続けているモデルがある一方で、現状維持路線の自治体もあり、厳しい環境にある自治体をどうするかが、次に問われてきます。人材不足のためにインフラの維持や法制執務、デジタル化への対応などがどんどん自前でできなくなって、外部の民間事業者に依存しなければいけない場面が増えている状況があります。そういう自治体の問題は深刻化しています。そこをどこまで白日の下にさらしながら、論じることができるのか。現段階では、それができないところに、この問題への対応の難しさがあると思います。

スコットランドから学ぶべきこと

小磯　一九九三年に北海道開発庁と英国のスコットランド省で「地域開発政策に関する国際会議」を開催しましたが、私はその担当でした。前年に会議開催の準備に向けて、エディンバラにあるスコットランド省を訪問しましたが、独自の地域政策が展開されていることに驚きました。特に、スコットランド開発公社や高地離島開発公社の存在と役割が強く印象に残っています。いずれの公社も民間人をトップにおいて政府資金を使いながらも、独自の権限を持って、政府の政策部門とは距離を置きながら機動力のある地域開発、地域振興の政策運営をしていました。特定地域の開発振興においては、国の画一的な政策を受け止めるのではなく、独自の政策をしっかりと提案していくことが大切だと感じるとともに、それを反骨の精神が支えているようでした。

山崎先生は二度にわたってスコットランドに長期滞在し、今もスコットランド研究者として活動、発信を続けておられます。

山崎　一九九七年の住民投票で議会設立が決定し、一九九九年五月の選挙を経てスコットランド議会が発足しました。二〇一四年にはイギリスからの独立を問う住民投票が行われました。結果は反対多数でしたが、現在でも独立賛成の世論、地域政党の支持は強いですね。

小磯　国家公務員だったスコットランド省の職員がスコットランド議会の執行機関（スコットランド政府）に異動したことは、中央官庁の職員が一挙に地方自治体の職員になったようなもので、地球の裏側で大胆な地方制度改革が起きたと驚きました。

山崎　ただ、分権改革前のスコットランド省は、政策部門を含めて大半の部門が既にエディンバラにあり、逆に一部の出先機関がロンドンにある図式で、以前から多くの職員がエディンバラで勤務していました。分権改革後はスコットランド政府に変わりましたが、身分は今も国家公務員のままです。日本のように縦割りの論理が細かく入り込まないので、行政体のユニット内で、かなりの裁量がある人事運用もできています。公務員としての一般的な統一ルールはありますが、運用はかなり自由度があって、スコットランド政府にいちいちロンドンの各省庁から介入があるようなことはありません。

よくスコットランドと北海道は比較されますが、比較研究を建設的に進める上で大切なことは、「なぜ違うのか」を見極め、考えることです。それを踏まえた上で、公共政策に関わる理論や視点を用いつつ、比較や移入する政策の可否を検討していくという思考が大切です。

スコットランドでは一九七九年にも住民投票を実施して、絶対得票率が四〇％に達せず議会設立が実現しなかった過去があります。

イングランドで多数派を占める保守党は、スコットランドで一九八〇年代以降、どんどん人気がなくなり、下院では労働党をはじめとした野党の国会議員が選出されていました。こうして「民主主義の赤字／民主主義の欠陥」といわれる状況ができました。すなわち、スコットランド市民が多数の野党議員を選出する一方で、全国政府が与党の保守党政権である状況下では、市民の意見が全国政府の政策に反映されず、多数の市民が反対する政策を押し付けられる構図になります。象徴的なのは、サッチャー政権で課された人頭税（納税能力に関係なく一定額を課す地方税）です。さらに、炭鉱の閉山、造船所の廃止等により失業者があふれ、経済構造改革への反発も強まり、反サッチャー、反保守党感情が高まりました。

それと似たような状況が二〇一二年以降の保守党のキャメロン政権下でも生じました。スコットランドではスコットランド国民党が議会の多数派で内閣を組織していますが、福祉政策の切り下げなどを保守党政権がどんどん押し付けてきました。独立を問う住民投票でもスコットランド市民の不安や怒りをあおるような言説が中央政府から発せられ、「民主主義の赤字／民主主義の欠陥」の構図が出来上がっていきました。日本にはなじみのない地域ナショナリズムや地域アイデンティティがあることはもちろんですが、そこに政治的な意味合いが加わり、選挙での政党選択や国民投票に大きな影響を与えています。

これに対し、戦後日本の自民党政権は北海道の扱い方に長けていて、したたかでした。道民の多数が怒りに燃えて反発するような政策や改革を一方的に押し付けることを巧妙に避けてきました。また、本州対北海道、あるいは政権党対北海道という対立する図式をつくってきませんでした。対立の図式がなければ地域のアイデンティティが成熟的な意味合いを持って自立をするという決断にはつながりません。その状況下で、北海道の地域特性に合わせた公共政策とは何か、地域経済政策をどのようにつくっていくのかを考え、実践していく作業をどれだけ積み重ねていくことができるのか。そこが問われていると思います。

小磯　スコットランドの経験を踏まえると、国との緊張関係を保ちつつ、地域独自の政策をしっかり提起していくマインドを常に持っていることが重要だと感じます。国が示す政策を待つのではなく、自ら解決策を提示し、主張していく気概を持つべきでしょう。

山崎　どんな北海道にしていくのかという思考力、構想力が試されています。

広域行政の展開に向けて

小磯　人口減少時代には、広域行政の展開が大切なテーマですが、そのためには政策ニーズを柔軟に受け止める仕組みが大切です。そこでは、フィンランドの市町村連合という仕組みが一つの参考になると思います。フィンランドは、ロシアと隣接していることから、特に国境地域の開発、振興政策に関心が高い国です。EU加盟時に最も難航したのが地域政策の取り扱いだったことからも、関心の大きさがわかります。フィンランドの地方自治制度はシンプルで、市町村のみの一層制です。フィンランドの市町村数は三五〇程度ですが、歴史的に強引な合併政策はせずに、新たな行政需要が出てくると国がリードしながら市町村連合という仕組みで柔軟に受け止めています。一〇年ほど前の市町村連合数は二五〇くらいでした。また、地域間格差を埋めるEU構造基金を受ける市町村連合も二〇くらいあります。交通計画や都市計画、土地利用計画などは、市町村連合が担っています。

大事なことは政策目的を明確にして、市町村任せではなく、国が責任を持ってサポートしている点です。わが国でも広域連合や一部事務組合、さらには定住自立圏や連携中枢都市圏など、いろいろな器が用意されていますが、仕組みが先で何を入れるかを後から議論している状況が多いように感じます。

山崎　小規模自治体が多い国では、多くの事務を広域連合が担っていて、平成の大合併でも注目されました。フィンランドのほかフランスなどでも、広域連合や市町村連合が事務処理を担って、小規模自治体を補完する役割を果たしています。

問題は、それを誰がどうやってつくるのかということです。日本では多様な制度があり、国も広域連携を奨励していますが、導入の可否は市町村の自主性に委ねられています。今後、人口減少が進んで立ちゆかない市町村がもっと増えてくると、現状があらためて問われます。国は集権的に圏域を設定してトップダウン型で画一的な広域行政を進めるかもしれません。これに対して、市町村が水平的な連携の枠組みをボトムアップ型で形成することができるかどうか。二つの手法のせめぎ合いが激しくなるでしょう。

イギリスでは二〇一六年から、マンチェスターやバーミンガム、リバプールといった中核的な都市を中心として、シティディールという権限移譲プログラムが進んでいます。公選首長制を導入し、首長に権限と責任、補助金を与えて、周辺自治体と連携しながら広域的な事務を処理するとともに、地域経済の発展のための推進役を担う仕組みで、全英に拡大しています。背景は異なりますが、広域連携、中核都市の重視には共通性が見られます。

小磯　定住自立圏の議論に参加する機会がありますが、医療やごみなど、やれることは既にやっているという印象です。新たな政策分野へのチャレンジが大事でしょう。強靭化政策や震災、津波対応などの防災・減災政策は定住自立圏では必ずしも十分議論されていないようです。最近では、流域治水などの新しい政策テーマも出てきています。国の河川行政も巻き込みながら、どのように広域行政の仕組みを対応させていくのか、前向きな議論の場にしていければ面白いと思います。

山崎　確かに、定住自立圏でなければできない事業はほとんどありませんし、広域連携が目的化している面はあります。周辺市町村からすると中心市が交付税を得たいだけだとする冷ややかな見方もあります。そこを乗り越えるためには、参加コストと調整コストを合わせた「連携のコスト」に対して、「連携の便益」が上回るかどうかがポイントです。そこに特効薬はなく、まずは中心市がいかに汗をかいて、連携のコストを上回る便益を生み出し、連携する市町村間で成果を共有できるかどうかにかかっています。

成功例では中心市のリーダーシップがカギです。例えば、連携中枢都市圏の運営では札幌市はかなり頑張っています。周辺市町村からは、単独では困難な事業が可能になったという声や、議会の承認が得やすい等と評価されています。札幌市の広域連携担当部門では、担当課長以下専任の職員が配置されており、しっかり近隣市町村の意見を聞きながら信頼関係を構築することに努力しています。

圏域全体での経済政策、都市機能・生活関連機能の共有に関して、具体的には、企業誘致のための札幌圏設備投資促進補助金、救急安心センターのコールセンターのサービス、消防指令業務の共同化、さっぽろ圏奨学金返還支援事業、公立夜間中学の共同利用など、個々の市町村では難しい事業が、広域連携として行われています。

小磯 職員の意識も大切です。国内の自治体向けに国際協力業務を進めているJICAから、広域的な仕事をする駐在員を中心都市の役所の中に置かせてほしいと申し入れたら、担当職員から断られて困っているという相談を受けたことがあります。結局は直接市長に相談をして快く引き受けてくれたのですが、断った職員は、管轄市以外の地域の仕事をする職員を受け入れることに抵抗感があったのでしょう。広域行政を展開していくために大事なことは、その意識を変えていくことではないかと思います。特に、中心的な都市としての役割を果たす自治体職員が、広域的な視点で都市政策への関心をしっかり持つ意識醸成が大事だと感じています。

山崎 中心都市の広域連携担当部門でその意識があっても、事業化するときは事業担当部局にやってもらうことになるので、大きな都市になればなるほどその調整は大変です。意思疎通にも時間がかかるのですが、中心市としてのリーダーシップを期待したいところです。

地方創生の教訓

小磯　山崎先生とは『地方創生を超えて』（岩波書店）の執筆のために、一緒に市町村ヒアリングやアンケート調査による検証も行いながら、現場の生の声を聞くことに努めました。

山崎　地方創生という政策を振り返ってみると、全体としては人口の東京一極集中は解消されておらず、地方圏の人口増や地域経済の活性化が達成したとは評価できません。自治体間の人、モノ、資源の奪い合いを繰り広げただけに過ぎないという声もあります。北海道新聞の記事では「賢い縮み方」と表現していましたが、縮小戦略も一考すべきでしょう。

地方創生では、東京一極集中や人口減少は国が第一義的に取り組むべき政策課題であるにもかかわらず、あたかも地方が自己責任的に頑張れば何とかなるというような幻想を振りまいたことは、指摘しなければいけません。

もう一つは、国が行政計画をつくらせて、その実行のために補助金を誘引の手段にして、地方自治体がそれを達成するために奔走するという、地方分権の理念に反するような手法が増えていることの問題です。地方分権、国の関与の縮小の原則とは真逆で、自治体の負担が増えています。自治体の自発性を前提とした、国による自治体統制手法については、全国知事会等も見直しを提起し、国も行政計画全体の見直し作業に着手していますが、改善の実効性を伴うかどうかしっかりフォローしていくべきです。

小磯　地方創生においては、国が直接市町村とつながる局面が多く、都道府県の役割が問われました。

山崎　国は市町村を主役にして、頑張る市町村を盛り立てていくという戦略であるように見えます。誰がどこに住んでいるかを把握している市町村が住民福祉を担う点では評価できますが、国の政策誘導手段に市町村を利用している側面もあります。先進的な奈良県や高知県などの府県では、いかに市町村と対等に連携して、広域的な視点で補完支援をしていくかという観点で実践している例が見られます。広域自治体としての都道府県は、どこまで連携の補完支援をできるのかが問われています。

小磯　基本的に地方創生は国主導の政策でしたが、地方自治体の対応を眺めると、国の支援をうまく活用しながら、したたかに目指す地域づくりを実現している市町村がありました。我々が実施したアンケートでは、国に振り回されたという回答が多かった一方で、国を利用する巧妙な知恵も散見されました。いろいろな意味で市町村の力量が試された経験でした。

山崎　上士幌町や東川町、ニセコ町などはうまく地方創生を活用した地域です。

小磯　見方によっては、都道府県の力量も問われました。あのような国の政策が展開されたとき、都道府県がどう向き合うのかは難しいと思いますが、西日本では、総合戦略の策定において県庁が相談役として積極的に市町村へのサポート機能を発揮したと聞いています。

北海道庁も当初は、かなり早く対応していました。国が地方創生で総合戦略を公表する前、全国で初めて人口減少問題に関する有識者会議を立ち上げました。若手メンバーを集めて独自のデータ分析を行い、私も座長として参加しました。ところが、市町村が国と向き合う局面でサポート役になり切れていたかどうかについては、難しい状況だったと思います。

北海道庁が相談役、シンクタンク的な役割を果たすことで、それなりの存在感は発揮できたと思います。地方創生の経験を、今後の政策能力の向上につなげていってほしいものです。

山崎　地方創生だけでなく、国は都道府県をスルーして、先進的な上位一〇%ほどの市町村を相手に政策を進めているような印象があります。

小磯　脱炭素の先行地域選定に見られるように、ユニークな取り組みをしている市町村でなければ補助金は出さないという選別の風潮を感じます。ただ、これからはそこに向き合う緊張感も必要です。

地方創生という政策は、地方政府の役割について、新たな問題提起をしたとも言えるでしょう。今日はありがとうございました。

小磯修二 × 中央大学法学部教授 宮本太郎

社会保障と雇用

宮本　太郎（みやもと たろう）

1988年中央大学大学院法学研究科博士後期課程単位取得退学。ストックホルム大学客員研究員、立命館大学政策科学部教授などを経て2002年北海道大学大学院法学研究科教授。2008年同附属高等法政教育研究センター長。2013年中央大学法学部教授・北海道大学名誉教授。社会保障制度改革国民会議委員、生活困窮者自立支援のあり方等に関する論点整理のための検討会座長などを歴任。著書に『生活保障－排除しない社会へ』『共生保障〈支え合い〉の戦略』『貧困・介護・育児の政治 ベーシックアセットの福祉国家へ』など。

2022年12月12日対談

福祉における二重の縦割り構造

小磯　宮本先生とは、北海道大学におられた時に、高等法政教育研究センターの研究会にお招きいただき、二〇一〇年には地域経済レポート『マルシェノルド』(北海道開発協会)で「地域と福祉」をテーマに取り上げ、社会保障と雇用の連携について、インタビューさせていただきました。宮本先生は、これまでも『生活保障』や『共生保障』(ともに岩波新書)などの著書で、雇用と社会保障を結び付けた政策のあり方について積極的に提言されています。今日はあらためて、これからの自治体が、社会保障と雇用の政策についてどのように向き合えばいいのか、お聞きしたいと思っています。

釧路公立大学地域経済研究センター在職中の二〇〇四年に、厚生労働省から生活保護率が高い釧路市で自立に向けた検討を、という指導があって、母子家庭の実態を探る調査や独自の中間的就労という仕組みに向けた検討のお手伝いをしたことがあります。私はそれまで福祉政策にほとんど関わったことがなく、初めて生活保護の課題や担当職員の苦労を肌で感じましたが、福祉事務所だけで問題を解決することは難しく、幅広い分野の政策と連携させていくことの必要性を痛感しました。また、生活保護は非常に厳しい基準があり、多くの制約のなかで自立が求められる仕組みにも驚きました。

自治体の職員と話していると福祉分野に関心を持つ職員が着実に増えてきている一方で、自治体政策のなかでも福祉分野は多様なステークホルダーが存在し、制度も複雑でわかりにくさがあります。貧困、生活困窮者、高齢者、障害者、育児、介護と対象も広く、そこに自治体政策としてどのような考え方でアプローチすべきか、体系的な整理が難しい分野だと感じます。

宮本先生は厚生労働省の「生活困窮者自立支援のあり方等に関する論点整理のための検討会」座長を務めるなど、生活保護政策から生活困窮者の自立支援政策へと、幅広い政策支援の枠組みづくりを主導されています。自治体の現場をどのように見ておられますか。

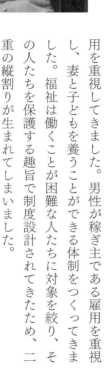

宮本　基礎自治体で福祉業務を担当している皆さんは、一生懸命に取り組んでも支援が届き切らないもどかしさを感じていると思います。日本社会におけるこれまでの福祉の位置付けが社会の現実とギャップを広げているからだと思います。日本の生活保障は良くも悪くも雇用を重視してきました。男性が稼ぎ主である雇用を重視し、妻と子どもを養うことができる体制をつくってきました。福祉は働くことが困難な人たちに対象を絞り、その人たちを保護する趣旨で制度設計されてきたため、二重の縦割りが生まれてしまいました。

一つは、投資的経費で、働くことができる人たちの雇用などを担う経済部局の仕事と、義務的経費と言われる、働くことができない人たちを対象にした福祉の仕事の縦

割りで、両者がつながっていません。もう一つは、福祉の制度そのものが介護や障害、子ども、生活困窮者と縦割りになっています。

働くことができない人たちを保護する以上は納税者への説明が必要で、なぜ生活保護を受けられるのか、なぜ福祉年金が支給されるのかを説明できなければいけません。ところが、人々が抱えている困難は高齢や障害、困窮と簡単に分けられるものではなく、複合化しています。それを人為的に高齢、障害、困窮のように分けて、どこに当てはまるかを決めて、説明ができるようにしています。

小磯　厳格に政策を進めざるを得ない状況があり、それが縦の仕組みを生み出したと。

宮本　ところが、今はそのような福祉のあり方では地域がもたなくなっています。言うまでもなく少子高齢化で、二〇四〇年問題が指摘されています。高齢人口がピークに達して三九〇〇万人前後になる一方で、現役世代は二〇一五年との比較で一七〇〇万人減少することになります。現役世代と高齢世代は人口比で一・五対一になり、肩車社会になっていきますが、実態としては肩車すら難しいでしょう。現役世代はより非力になっていくでしょうし、女性はあいかわらず最初の出産時に四割近くが仕事を辞めて、社会復帰しても非正規雇用になってしまいます。対する高齢世代は単身、低年金で認知症高齢者も八〇〇万人と言われています。

そうなると現役世代と高齢世代を分けるのではなく、老若男女を通して「元気人口」をどれだけ増やしていくことができるかが問われてきます。これまでのような雇用と福祉を分けた考え方や福祉政策の縦割り構造は、百害あって一利なしです。「元気人口」から外れてしまう人の理由は複合的で、包括的に対処していく仕組みが必要です。二重の縦割り構造を根本的に見直さざるを得ません。今はその局面と言えます。

国は縦割り構造の弊害や地域共生社会について言及していますが、実は霞が関のなかにこそ、それが根強く残っています。よく縦割りを解消するために協議会をつくってほしいとか、ネットワークを設けてほしいという呼びかけがありますが、縦割り制度のなかで介護、困窮、障害、子どもと、それぞれの協議会やネットワークがたくさんつくられて、気が付くと連携という殺し文句が使われた会議がそれぞれの枠のなかで増殖しています。どの会議も同じような顔ぶれなのに、自治体はたくさんの会議を運営しなければならない。さらに、個々の制度は保護する理由が説明できるように細部にわたって複雑化していて、領域ごとに異なった言語が使われているような状況もあります。

一方で、自治体職員は一つ一つの制度に対する理解が深まらないまま、在任期間が終わってしまうことが少なくありません。誰もが地域を元気にしたいと思っていて、そのために福祉が重要な役割を果たしていることはわかっていても、制度を活用して多様な社会的資源を連結させ、地域経済の活力につなげていくという、到達したい目標に接近する手立ては見えてこないでしょう。それが、小磯先生の指摘した「福祉はよくわからない」という印象につながっていると思います。

多様な働き方

小磯　釧路市での生活保護者の自立支援に向けた議論のなかで印象に残っている場面があります。就労に向けた検討会で、福祉関係者に加えて、雇用する側の企業、病院、さらに経済部署の職員に参加してもらった時に、「こんな働き方があるよ」という具体的な提案が多く出てきて、後ろ向きになりがちだった雰囲気が大きく変わったのです。それが中間的就労という仕組みにつながっていったのですが、雇用する側と就労を支援する側がしっかりつながることの大切さを感じました。

宮本　雇用に関心がある担当者は、福祉の現場だけでは解決しないと感じているはずです。雇用する側が変わらなければ扉は開かれません。遠隔地に赴任できない、残業ができないなど、労働条件について何らかの制約がある社員を「制約社員」と言いますが、考えてみると「無制約社員」と言える人はいるのでしょうか。生きていれば誰しも制約があり、「無制約社員」であることの方が不自然です。それがあたかも特別な事情のように語られてしまう日本の働き方に問題はないのでしょうか。地域社会のなかで、人手不足に音を上げる中小企業がある一方で、働きたくても機会を得ることができずに引きこもってしまう人が増大していきます。このパラドックスをどう解決していけばいいのか。制約のある人たちが当たり前に働くことができる就労機会を、地域でどれだけ創っていくことができるかです。コロナ禍でテレワークが当たり前になり、それぞれの事情に沿った働き方を実現するのはできないわけではないこともわかってきました。

「ウチらめっちゃ細かいんで」というホームページ制作会社があります。引きこもりの当時者がひきこもったままで働けるという会社です。

横暴なパワハラ上司がいるような会社では繊細なマインドは弱点になりますが、自宅の部屋をオフィスにして、引きこもってホームページを制作してもらうと、繊細さが逆転して武器になります。ディティールにこだわったホームページを作成しており、性格が活かされます。そんな働き方が可能になっています。同じように、多様な「制約社員」が当たり前の制約を前提にしながら、その人の事情に合わせて柔軟に働くことができる環境はいくらでも創り出すことができます。

大阪府豊中市のくらし支援課では、ハローワークとは別に、求職者と企業のマッチングを重視した無料職業紹介事業を行っています。企業から求人情報を収集し、体験就労やそれを踏まえた求職者の意向確認を行い、場合によっては求職者の事情に合わせた業務内容の調整も担っています。

しばしば生活困窮等の相談とハローワークが机を並べて就労支援と銘打っていますが、多くの求人は「無制約社員」が対象で気軽に相談ができません。豊中市の経験は仕事をカスタマイズしていく道筋を示しているといえるでしょう。

これまでの日本の雇用は、特定の職務の枠を超えて貢献する「メンバーシップ型」か、決められた職務を遂行する「ジョブ型」かのいずれかでした。近年は欧米流の「ジョブ型」が推奨されていますが、決められた職務を担うという意味では、人が仕事に合わせる働き方です。

これに対して、新たに求められるのは「オーダーメード型」の働き方と言えます。一人ひとりの事情や制約を前提に仕事を設計するという、ひと手間をかけることで、地域の労働力が格段にパワーアップして能力を発揮する機会が創られます。これからの就労支援は雇用する側との調整をすすめることが重要です。

一方で、福祉の側にも問題はあります。介護保険制度で地域包括支援センターが設置されましたが、近年指摘されているのが八〇五〇問題です。八〇代の親の年金を頼って五〇代の子ども世代が引きこもるような状況で、最近では子に加えて孫も一緒にいる状況で、孫がヤングケアラーになって学校にも行けず、祖父や祖母の介護を余儀なくされていることもあります。

この問題を地域包括支援センターで対応しようとしても、地域包括支援センターは介護保険特別会計で運営されているので会計検査院から目的外使用と指摘されてしまいます。八〇五〇問題を包括的な支援で打開しようとしても縦割りの壁が立ちはだかるのです。雇用する側の間口の狭さを解決しても、福祉の縦割りの弊害が依然として存在し、なかなか前に進みません。

小磯　私は、行政の現場で総合開発計画や地域開発プロジェクトなどの業務を長く担ってきたので、国の縦割りのなかで多くの省庁と調整してきました。地域の活性化に向けた政策の最終目標は安定した雇用創出です。人々が安心して所得を得る、その所得を生み出す安定的な雇用を創出していくという、バランスの取れた関係づくりが地域開発政策です。雇用は地域開発政策にとっても重要なテーマですが、霞が関の現場では、非常に距離がありました。全国総合開発計画の策定時には、各省庁の出向者が国土庁に派遣されるのですが、私がいた時は労働省（当時）からの派遣はありませんでした。労働政策は中央集権が強く、ハローワークも国の機関です。地方自治体が関与する度合いは少ないのです。しかし、雇用調整を丁寧にすすめていくためには、住民、企業に近く、地域に精通した市町村が政策的に関与していくことが必要だと思います。

その意味で、ご紹介いただいた豊中市の取り組みは先進的です。雇用政策の大事なポイントは柔軟なマッチングです。「求職者の事情に合わせた業務内容の調整」というような、きめの細かい対応によって、雇用政策の質も高まっていくでしょう。地方自治体が主体的に雇用政策に向き合っていくべきです。

宮本　これまでの日本の雇用は、言うまでもなく長期的雇用慣行がありました。入り口でメンバーシップを確保できれば、その後は企業が自己完結的に人を育てていく仕組みでした。大学などの教育機関にも多くを期待していません。アメリカのようなジョブ型労働市場では、知識や技能を外で身につけて雇用されますが、日本のようなメンバーシップ型雇用では、下手なことを覚えて入社されても邪魔になるという見方すらありました。それぞれの企業のやり方で入社後に知識や技能を習得する体制でした。地域の立場としても、これまでは公共事業や零細な事業者を保護する経済規制などがあることが雇用を支えてきたのであり、地域が自ら雇用を創出することは期待されておらず、むしろ不得手でした。

でも、企業がメンバーシップ型雇用で人を育てる、公共事業の予算が潤沢に確保され地域に雇用が生まれるという時代は過去のものになりました。豊中市のように地域が主体的に労働力の需要と供給を連結していく時代になり、地域でどのような仕掛けづくりができるのかが問われています。特に、困難を抱えている人たちをどのようにサポートするかという取り組みが重要になってきます。

地域主体の雇用政策

小磯　北海道庁で二〇〇三年に道州制の検討がなされた時、私は雇用政策の権限移譲を強く主張したのですが、意外に事務局も含めて賛同してくれる人が少なかったのです。地域の側も、雇用政策の必要性について理解を深めることが必要だと感じました。ただ、今は変化が出てきています。

宮本　道州制の論議のなかで、地域の雇用政策が浮上したことは意義がありますが、そこで雇用という「生活保障」の根本問題にどのように対処するかについて、見通しのある、信頼性の高いビジョンが出てこなかったのでしょう。それは、これまで経験がないので無理もありません。

例えば、スウェーデンの積極的労働市場政策は、生産性と収益が低い産業分野に意図的に圧力をかけて労働移動を促進させるものでした。働き手を労働訓練して、生産性や収益が高い産業に労働力を移動させるもので、日本の企業が人材を抱え込んでいるのとは対照的です。スウェーデンでは流動的な労働市場を前提に雇用政策を切り開きました。日本でも二〇一三年ころから産業競争力会議で「失業なき労働移動」が議論され、労働市場を流動化し労働移動支援を行うという施策が提起されました。

ただし、公的な職業訓練や労働移動支援を重視したスウェーデンとは異なり、日本は人材派遣会社が労働移動を引き受けるかたちになり、またこれまで雇用維持に大きな役割を果たしてきた雇用調整助成金を大幅に削減し、これを人材派遣会社などに補助を出す労働移動支援助成金に置き換えるということになりました。そして従来の製造業など人余りの「成熟産業」から人手不足の「成長産業」への労働移動をすすめるとしました。

ところが、今は生産性の高い業種も労働力をそれほど吸収しなくなっており、スウェーデンでも積極的労働市場政策は変わり目にあります。ＡＩやＩＣＴが労働力に代替されているからです。他方で人材不足の業種は生産性が低く、低賃金が多くて離職率が高い介護や保育、医療などの分野です。そうしたところに、一部の企業と人材派遣会社が助成金も利用して強引な人員整理をしていたことが国会で取り上げられ、労働移動をすすめる施策にはブレーキがかかりました。

これまでのやり方を変えて、地域で雇用を支えていくには、問題が複雑化しています。雇用といってもグローバル市場で生産性が高い先端部門で活躍する労働力と、地域密着型の中小企業や介護や保育、医療などの福祉全般を支えていく労働力は分けて考えなければいけません。民間では全国一律の最低賃金制度への移行も課題ですし、介護、保育など公的価格制度のなかで処遇改善をどうすすめるかもまったなしという状況です。さらに、オーダーメード型雇用が可能になっても、週数回の勤務などで十分に生活が成り立たない場合は、給付付きの税額控除や住宅手当など補完型の所得補償と組み合わせて生活が成り立つ仕組みが必要です。

小磯　地方自治体は地域で見える労働市場のスケールで制度設計していくことが必要だと。

宮本　特に多様な困難を抱えた層に対しては、福祉か労働かという二分法ではなく、部分的な補完型所得補償や支援付き就労など、みんなが何らかの形態で働き続けることができるように、地域ならではの雇用のかたちを創っていく必要があります。

小磯　コロナ禍では働き方に少なからぬ変化がありました。地域とのつながりを企業戦略に結び付けている事例として、東京都町田市に本社があるＩＴ企業「ビックボイス」がありま す。北海道出身の社長が函館や室蘭、芦別など、積極的に北海道にブランチを展開しており、それぞれのブランチは少人数ですが、その地の出身者を責任者に据えて生産性を上げていま す。人口減少が進むなかで希望する地域で働くことで生産性を高めていく企業戦略です。働き方も企業経営も多様化しており、それに対応した雇用政策を考えていく時代です。一律の政策を当てはめることの限界を感じます。

宮本　観光地で知られる三重県鳥羽市の雇用は旅館中心なので、労働時間が長く、注意深い接客対応が求められる一方で、裏方の仕事もしなければいけないという多面的な能力が求められます。地元の旅館は慢性的な人手不足です。そこで、鳥羽市の若手職員が旅館の経営者とタッグを組み、時間や仕事内容などの旅館業務を分解し、それらをパッケージ化した『プチ勤務　おしごとカタログ』を作成しました。制約があってもできる仕事が選べるため、非常に好評でした。そのように地域にある潜在的な労働力を活かす取り組みが出てきています。自治体が仲介役になり、地域密着型で雇用のかたちを創出している好例です。自治体職員が単独で動いても、多くの自治体ではなかなか理解されませんが、鳥羽市では市長の後押しがありました。雇用も全庁的な取り組みにしていくことが必要です。

小磯　先ほど縦割りを打破するためにいろいろな協議会が設立されても十分に機能していないという指摘がありました。形式的な連携会議やプラットフォームではなく、一定の権限を調整者に与えて、その決断に向けて徹底して議論するという仕組みが必要でしょう。本来であれば地方自治体はそれができる組織のはずですが、国の縦割り構造が浸透しており、硬直的な面があります。

宮本　保護することに重点を置いた福祉から「元気人口」を増やしていくという福祉への転換をすすめるためには縦割りを打破することが不可欠です。なぜなら元気になることができない理由というのは、所得、健康、家族などの問題が複合しているからです。こうした問題に包括的に対処できるかが課題です。

また、仕事に対する評価の問題もあります。霞が関でも内閣府や内閣官房に各省庁から人が集まって一緒に仕事をしているので、形式上は縦割りを超える仕組みがありますが、働いている人たちは、出身官庁の評価を意識しながら働いています。鳥羽市の例では市長がしっかりその意義を理解していたわけですが、縦割りを超えて「元気人口」を増やしたいと思っても、その仕事がどこでどのように評価されるのかという見通しがなければ大胆な取り組みは難しいでしょう。さらに上からお題目的に縦割り打破を説くだけでなく、お互いにつながりたいと思える人や部署と積極的に連携できる条件をどう確保できるかも問われます。

生活困窮者自立支援法と「新しい生活困難層」

小磯　宮本先生も関わられて、二〇一五年に生活困窮者自立支援法が施行されました。生活保護だけの時代から、福祉政策はどのように変わってきたのでしょうか。

宮本　厚生労働省などを中心に、三重のセーフティネットという議論がありました。鏡餅が三つ重なっているイメージで、一番上に安定就労で社会保険に入っているというセーフティネットを張った層があり、一番下には生活保護のセーフティネットを張った層があります。ただ、雇用が不安定になり、第一のセーフティネットで支えきれなくなった人たちがどんどん第三のセーフティネットの生活保護に行きついてしまうので、第二のセーフティネットが必要になるのだという議論でした。この三重のセーフティネットにおいては、第二のセーフティネットが弾力性のあるトランポリンのように機能することで、第三のセーフティネットの生活保護に行きつく前に、安定的な就労に跳ね戻すのだとされました。生活困窮者自立支援制度や職業訓練を受けている間に月額一〇万円ほどの給付金を受給できる求職者支援制度はこの第二のセーフティネットという位置付けでした。

ただ、私は生活困窮者自立支援制度などを第二のセーフティネットと位置付けることには少し疑問を持っています。三重のセーフティネットといっても、上で支えきれなくなったら下に次々と移行していく流れになっていないからです。例えば、二〇二二年の秋ごろはコロナ禍にもかかわらず、生活保護受給実人員は減っていました。生活福祉資金の特例貸付が利用されたこともありますが、生活保護を受けることは「恥ずかしい」というレッテルが貼られていることが大きかったと思います。特にコロナ禍の生活困難者は自営業者、特に飲食店業者が多くいました。従来の支援の現場では、コミュニケーション能力が低かったり、人と馴染めないような人が多かったので、そういう人たちにカウンセリング的なアドバイスをしながら対応していました。ところがコロナ禍では、ある意味で世慣れした人の支援要請が多く、そういう人たちに生活保護を持ち出すと拒絶反応が強かったのです。

また、コロナ禍で多くの困難を抱え込んだ人たちは就職氷河期世代も多く、その世代の人たちは初めから不安定就労のなかにいて、安定就労層から沈み込んできたわけではありません。また、第二のセーフティネットといっても、生活困窮者自立支援制度などで安定雇用につなげていくことも容易ではありません。三重のセーフティネットという考え方が実態と合っていません。

重要なのは、いかなるセーフティネットもカバーしていないと考えられる人々が増大していることです。いわば「新しい生活困難層」と呼んでよい人たちです。安定就労層、「新しい生活困難層」、福祉受給層は、鏡餅のように三つ重なっているというより横並びで、それぞれが独立したかたちで閉じていて、さらに相互に不信感を持っている状況にあります。

「新しい生活困難層」の人たちは、最低賃金で、フルタイムで働いても、勤労所得が生活保護受給層の生活扶助と住宅扶助を合わせた額を下回ることがあるのはなぜだと制度不信を強めます。他方で「新しい生活困難層」の人たちはその一方で、正規雇用の人の時間当たり賃金と自分の時給がなぜこれほど格差があるのかと考えます。つまり福祉や雇用の制度全般に不信を抱きがちです。

他方で安定就労層の人たちも今は大きな生活不安に直面しています。労働分配率の減少に加えて、団塊の世代がリタイアし、医療保険などの保険料の負担が重くなり、給与が目減りしているなかで物価高に直面しています。他の層に対して非寛容にならざるを得ません。

三つの層が相互に不信を抱き、ときに政治がこうした不信を煽っているようにも見えます。

小磯　確かに緊張関係が高まっている状況があると思います。

宮本　三つの層が分断されています。こんな状況のなかで、すべての層にしっかり届く支援、それも保護するばかりでなく、無理のない仕組みで社会につなげていく支援のツールとして、生活困窮者自立支援制度は非常に重要です。ただし、一般就労に跳ね戻すための制度として考えるか、庶民が分断されている状況のなかで縦割りを超えた包括支援をすすめ、地域や雇用のかたちそのものに届く制度として機能を発揮させるかで位置付け方は変わってきます。厚生労働省も、分断を超える支援の仕組みについて、制度改正を検討しているようです。その際に、先にも触れたように地域の雇用のあり方そのものを転換していくことが重要です。

小磯　二〇一七年に生活困窮者自立支援制度の展開に向けた、ある自治体の検討会に参加したことがありますが、政策として定着するには時間がかかるだろうという印象でした。一方で、民間事業者は相談業務などを新しい事業チャンスと捉えて、福祉分野への関心が広がってきたことを感じました。民間事業者と公的なミッションを持つ団体とは受け止め方に違いがあるようでしたが、試行錯誤しながら融合できる可能性はあると思います。

宮本　「生活困窮者」という言葉が最善であるとは決して思いませんが、要介護者、障害者、生活保護受給者など、既にある制度に直結した括り方ではないことがポイントです。縦割りを横断するようなかたちで、多様な人を対象にする相談支援が始まったことは重要です。

その後、生活困窮者自立支援制度それ自体が新しい縦割りとなりかねない傾向もうかがえますが、コロナ禍のなかでは、生活困窮者自立支援制度の住居確保給付金が活用されています。その点では、この制度が「新しい生活困難層」も頼れる仕組みとして定着しつつあることを感じます。

コロナ禍で、これまでの福祉制度が想定外の自営業者、フリーランス、学生を含めた若い人たちなどが相談に押し寄せていることは教訓になったと思います。今はそれほど多種多様な人たちが支援の対象になり得る時代で、そこへの支援は従来のように定型的な社会的弱者を括りだし保護すればよいというものではありません。誰もが元気でないと地域が維持できない状況になっています。どのような支援ツールを創り出していくべきかという課題を新たに突き付けられたことを含めて、コロナ禍のインパクトは大きかったと思います。

「新しい生活困難層」について少し補っておきたいと思います。まず、この層はどれくらいの規模なのかと聞かれることがありますが、コロナ禍でさまざまな特別給付金の対象となったのが住民税非課税世帯で「新しい生活困難層」の規模感を測る一つの指標になるかと思います。国民生活基礎調査によれば住民税非課税世帯は一二〇〇万世帯以上ですが、そこが「新しい生活困難層」と重なるのかといえば、そう単純ではありません。まず「新しい生活困難層」には一六〇〇万世帯ほどの生活保護受給世帯は含まれません。また年金受給世帯は公的年金等控除制度があり、住民税非課税になりやすいですが、現役世代の場合は住民税非課税ではなくても、生活困難である場合が多くあります。このようなずれはありますが、規模感としては「新しい生活困難層」は一〇〇〇万世帯を超えると考えてよいでしょう。

「新しい生活困難層」は多様な人々が含まれますが、生活保護のみならず既存の障害者福祉制度の受給水準を満たさなかった人も含まれます。たとえば軽度の知的障害者にも支援が届いていません。知的障害者には地方自治体が療育手帳を発行しますが、多くの自治体で給付対象は知能指数が七〇を下回ることが要件です。ただ、実態としては知能指数が七〇〜八五くらいでも学校の勉強についていくことが難しくなり、就職も厳しい状況ですが、放っておかれたままです。

「新しい生活困難層」は、税の恩恵にもあずかりにくくなっています。日本の社会保障給付の財源は税が四割、社会保険料が六割程度ですが、給付の八割以上が年金、介護、医療などの社会保険に当てられています。日本で皆保険皆年金を導入できた背景には、社会保険の財源に税を投入したからです。ところが、安定的に就労して社会保険に加入できない「新しい生活困難層」は、税の恩恵にもあずかれないかたちになっているわけです。

ベーシックアセットの提言

小磯　宮本先生が二〇二一年に刊行された『貧困・介護・育児の政治　ベーシックアセットの福祉国家へ』（朝日新聞出版）では、新しい「ベーシックアセット」というコンセプトを打ち出されています。一定額を国民に支給する「ベーシックインカム」は、直接的な政策手法でわかりやすいのですが、果たしてそれだけで解決できるかという不安が正直ありました。ベーシックアセットには給付やサービスに加えて、共有資源としてのコモンズという視点が含まれています。これからの地域活性化に向けては、限られた資源を有効に生かしていく社会システムとして、コモンズは大切な概念だと思っています。宮本先生は、「ベーシックアセット」という言葉を使って、どのような社会保障の政策を目指しておられるのでしょうか。

宮本　社会保障や福祉政策はたいへん複雑で、国は何を保障してくれるのかを明確にすべきだという主張も理解できますが、ベーシックインカムのように現金給付だけではサービスをおろそかにしてしまうことになりかねません。他方でロンドン大学のアンナ・コートらが「ベーシックサービス」を提起しています。しかし、みんながそろって必要とする公共サービスはないので、ベーシックサービスを明確に境界付けることも困難でしょう。また、そもそもベーシックインカム論者もベーシックサービス論者も、現金給付かサービスかだけで社会保障が成り立つとは考えていないでしょう。結局はサービスと現金給付のいずれもが必要です。

これに対して、ベーシックアセットとは、フィンランドのシンクタンクであるデモス・ヘルシンキなどが提起している議論で、現金給付とサービスを連携させて、人々をコモンズにつなごうという議論です。ここで「アセット」とは、現金給付、サービスのみならず、それらを通して人々が参加する「コモンズ」を包括した言葉です。

コモンズとは、誰のものでもなく、オープンで、多くの人が関わることができるものと言えますが、その分、誰かが専有してしまうこともあります。ベーシックアセットにおけるコモンズは、コミュニティや自然環境、デジタルネットワークなどが考えられ、社会への参加を支援する社会保障や福祉政策においては、特にコミュニティへの参加を支援することが重要になります。かつては社会的包摂と言われていたこともありますが、人々が自ら帰属したいと思える居場所や職場を見つけて、そこに身を置くことで元気を回復できることが必要なのです。お互いに認め合い、認められるという相互関係に身を置くことで自己肯定感や生きる張り合いを持って、手応えのある生を享受できることが重要です。「新しい生活困難層」への支援を考えた時も、最終的な目標はそこに置かれるべきでしょう。

たいへん抽象的に聞こえるかもしれませんが、「健康で文化的な最低限度の生活」が保障されるということは、そういうことなのだと思います。

そのような生活を実現するための、現金給付、サービスそしてコミュニティや自然環境、さらにはデジタルネットワークなどをひとかたまりの「アセット」として捉え、みんながそのアセットを享受できる仕組みをつくることが必要だということです。

小磯　地域が安定的、持続的に活性化していくには、人々が集い、つながるソフトな社会基盤が欠かせません。そこに暮らす人々が社会に認められながら、自分の活動をしていくための基盤づくりや関係づくりを福祉政策のコンセプトとして提起されていて、非常に挑戦的です。

私は、コモンズとは、限られた資源を次の世代に安定的につなげていく「持続可能性」の概念を地域という空間に当てはめた社会システムと考えています。これから社会の資産は、排他的な利用から、重層的な利用に転換させ、その価値を総体として高めていくコモンズを広めていくべきだと思います。

宮本　「アセット」として、コモンズが存在する社会は、地域づくりにも非常に重要だと思います。コモンズはお互い様の関係です。ただし人間社会のお互い様の関係は非常に複雑に組み上がっています。何かをやってあげて、その代わりに何かをやってもらうという単純な関係ではありません。例えば保育所があって、子どもたちが走り回る音がうるさいと言う人がいたり、障害者福祉施設の建設計画があれば、反対する人もいます。でも、いつか自分の孫が保育所でお世話になるかもしれないし、自分が老いていくなかで障害をもつ可能性もあるわけで、そのお互い様の関係をどれだけ「見える化」できるかが、コモンズのポイントではないでしょうか。

小磯　これからの地域政策で「見える化」は重要な視点です。そのためには、地域やコミュニティのネットワーク形成力を高めていくことが鍵だと思います。そこから、縦割りの無駄を排斥する動きにつなげていけると思います。

宮本　デジタルネットワークもみんなが参加することで、豊かな情報共有が可能になっています。でも、プラットフォームやアルゴリズムを持っている一部の企業が独占することで、いろいろなバイアスが生まれてきます。コミュニティもどこかのボスが牛耳ってしまうと、本来のコミュニティ機能が果たせないことがあります。コモンズがそのような隘路に落ち込むことを防ぐためにも、「コモンズ」や「アセット」として皆がそこに到達できる条件を保障していくことが大事です。

小磯　「ベーシックアセット」は、人口減少時代において、限られた資源のなかで、地域社会の信頼とつながりを高めながら、心豊かに生きる福祉国家に向けた構想のように感じます。そこで具体的にどのような地域政策が必要か、一歩ずつ考えていきたいと思います。今日はありがとうございました。

東京大学大学院教授 小林真理 × 小磯修二

文化政策と地域の活性化

小林　真理（こばやし まり）

早稲田大学教育学部を経て、同大学院政治学研究科政治学専攻修士課程修了、博士後期課程単位取得満期退学。2001年早稲田大学博士（人間科学）。早稲田大学人間科学部助手、昭和音楽大学音楽学部助手、静岡文化芸術大学文化政策学部専任講師などを経て、2004年東京大学大学院人文社会系研究科文化資源学研究専攻文化経営学コース助教授、2007年准教授、2016年教授。編著に『文化政策の現在 1 文化政策の思想』、『文化政策の現在 2 拡張する文化政策』『文化政策の現在 3 文化政策の展望』など。

2022年11月24日対談

戦後の文化行政と地域づくり

小磯　小林先生は文化政策がご専門で、特に地方自治体の文化行政について長く研究されてこられました。これから地方が主体的に地域政策を進めていく上で、足元の地域資源を幅広く文化資源として見つめ直し、地域の活性化に結び付けていくことが大切ではないかと感じています。今日はそこを掘り下げてお聞きしたいと思います。最初に戦後の文化政策や文化行政の大きな流れについておうかがいします。

小林　第二次世界大戦後、日本の文化政策は国家体制の変化によってパラダイム転換があったと考えており、人権を尊重した文化の権利を保障していく方向になりました。ただそれが制度的、政策的に実現していくようになるのは先のことです。

一九五〇年に文化財保護法が制定されていますが、その契機は一九四九年の法隆寺金堂の火災で、国宝級の壁画が蒸し焼きになってしまったことです。また、ＧＨＱが日本に入ってきた時にアメリカの博物館が日本の天皇陵を調査したいと言い出したそうです。当時は占領されているとはいえ、日本の文化を考える上で重要な史料である古墳を他国が調査することについて議論があったようです。

こうした出来事を契機に、文化財保護法が制定され、一九六八年に文化庁が設置されています。ただ、しばらくは文化に関する政策や行政の基軸は、文化財保護でした。

一方で、同時代に生きて芸術や文化活動をしている人たちもいます。他の先進国では文化芸術振興に公的補助を行っていることもあり、日本でもそのような展開を目指す運動がありました。

七〇年代は「地方の時代」と言われ、分権志向が生まれて、地域の固有性に着目する地方自治体が出てきました。特に、関西圏では大阪府の黒田了一知事が「大阪文化振興研究会」を発足させて、地域の固有性につながる文化をどのように活かしていくか、何か手を打たなければいけないという動きが起こってきました。

そこで、提供する行政サービスは何かということになりますが、結果的にはハコモノ、いわゆる公の施設をつくる流れになっていきました。七〇年代は地方自治体で歴史博物館や郷土資料館などが整備されるようになり、七〇年代後半には美術館も多く開館しています。

小磯　七〇年代から私は国の政策現場から、地方自治体の動きを眺めていました。文化行政については、いくつかの自治体で先進的な挑戦が見られましたが、全体の気運がいつの間にか沈滞していった印象があります。

小林　七〇年代後半からの文化行政の動きは非常に活発でしたが、文化政策学者の野田邦弘先生は先進的な取り組みをしていたのは、革新系の首長がいる自治体だったと指摘しています。地域づくりやまちづくりは長期的に取り組むべきで、そこにある種の党派性を持ち込んでしまうと、うまくいきません。だからこそ国は同じような動きにのってはいけないという風潮があったのかもしれません。一方で、文化という領域は、地方にとって何らかの有益な

ものがあり、それを進めていく方向は政府としても認識していたと思います。

小磯　二一世紀に入ってからも地方の文化行政は停滞したままのように感じます。

小林　その要因の一つは、一定の施設整備が終わったことでしょう。指定管理者制度導入の背景にあるニュー・パブリック・マネジメントの影響もあり、行政改革の流れのなかで地方自治体は政策立案型を志向するようになりました。そこで専門的で具体的な分野は、外部に委託する体制が二〇〇〇年代ごろから始まりました。同時に効率性という指標が出てきて、文化施設についても一定の経済的な負担をして、外部に委託する動きが出てきましたが、その手法がうまく機能しない自治体も出てくるようになりました。当時、文化や芸術がさまざまな分野に広く活用できる資源であることを示していれば、その評価や運用は違っていたと思います。

ちょうど今、当時整備したハコモノが建て替えの時期に当たっている自治体が多くあります。そこで私が主張したいのは、文化に対する偏見を首長選挙に持ち込んだり、政治的対立に持ち込んだりすることは止めてほしいということです。

博物館や美術館は専門家などのコアな人たちだけが集まる場所ではなく、観光など直接的に経済にも波及します。良い事業であれば、海外からも人はやってきます。それによって地域が潤い、注目が集まれば住民も関心を持つようになり、相乗効果が生まれます。そんな変化が出てくると、文化に対する評価は変わっていくでしょう。

二〇〇一年の省庁再編をきっかけに、同年一二月に文化芸術振興基本法が制定され、文化芸術振興のための根拠法ができました。この法は、文化や芸術活動をしている人たちから、文化芸術振興のために先進国並みの公的予算を確保してほしいという声が上がって、議員立法で実現しており、実演芸術家の皆さんの声が大きく影響しています。

各国の文化政策の歴史的な展開を追っていくと、文化は単に文化財を保護したり、芸術を振興したりするだけではないことがわかります。絵画や舞台を観て、創造性を刺激されて新しいクリエイティブな発想が生まれ、産業のなかでそれを活かしていくなど、大きな広がりがあります。そうした意図を組み込んで、文化芸術振興基本法は、二〇一七年六月に文化芸術基本法に改正されました。この改正で文化の概念が捉え直されたと思います。

世の中には文化を地域固有のものと考える人もいるし、経済的にゆとりがある人が享受する特別な趣味や娯楽だと考える人もいます。今どきの表現で言えば不要不急で、もっと医療や福祉を重視すべきだという議論になってしまうことが多いのです。地域の文化として根付いて、みんなが語るようになるまでには、最低でも二〇年くらいの月日が必要で、それを実現するためには党派的な対立を持ち込まず、息長く文化に向き合うことが大切です。

七〇年代に地方で文化行政が推進できた要因は、イニシアティブを持った革新政権が強力に推進したからだと思いますが、多くの賛同を得られるまでには至らなかったと思っています。

小磯　戦後の流れのなかで、地方が独自の政策を展開していくきっかけとなる分野が文化行政であったことの歴史的意義は大きいように思います。整備された施設が十分に活用されていないという問題点はありますが、ひたすら経済的な豊かさを志向していたあの時代に、文化に焦点を当てた動きが地方から出てきたことは新鮮でした。その要因や背景は何か、冷静に見つめ直してみることが必要だと思います。

私は一九七二年に大学を卒業し、国土を長期的にプランニングする仕事への興味から北海道開発庁や国土庁で仕事をしていました。当時、革新的な自治体で文化振興に向けた動きが出てきた要因には、公害や環境問題など経済開発に対するアンチテーゼがあったように思いますが、その背景にはオイルショックを経験して、資源には限りがあるという認識が浸透してきたことがあるように感じます。ローマクラブが出した「成長の限界」は衝撃的でした。そこから、「スモール・イズ・ビューティフル」というような、身近な資源を大切にする価値観への転換が出てきたように思います。

一九七七年に策定された第三次全国総合開発計画に携わりましたが、地域政策については、それまでの工業開発、企業誘致から、思い切って教育・文化・医療機能を重視しました。当時、教育・医療とともに文化を国土政策の手法に掲げることはかなり挑戦的でした。国の政策現場でその動きが出てきた要因には、ご指摘の地方の文化行政の動きがあったと思います。また、物質的な豊かさの後に、国土政策として何を目指すべきかという模索のなかで、新たな政策分野として文化がその答えの一つとして選択されたのだと思います。

三全総策定の一年後に、大平正芳総理が「田園都市国家構想」を打ち出したことは衝撃的でした。それまでのハードな日本列島改造論から、人間的で文化的な国家を目指していく「田園都市国家構想」が国家ビジョンとして示されたのです。どのように文化を活かして国土政策を進めていくかという議論は政府部内では経験がなく、本来であれば、文化庁を所管する文部省（現文部科学省）が発信していくべきでしょうが、当時は無関心でした。

小林　文部省の主眼は「人づくり」にあって、国土政策や国づくりという視点で政策を考えてきたプロパー職員は少ないような気がします。

小磯　当時、私は国土庁に在籍していましたが、「文化と国土設計」という調査を担当したことがあります。財団法人文化会議に委託して、建築家の黒川紀章氏を主査に、劇作家の山崎正和氏、小説家の小松左京氏、西洋史学者の会田雄次氏など異色の二〇人を集め、国土計画分野に文化がどのように寄与できるかについて、自由に議論をして、政策提言を試みてもらいました。当時として

は画期的な取り組みで、国土計画行政から文化の分野に仕掛けていった懐かしい思い出です。

「田園都市国家構想」は残念ながら政治的リーダーである大平総理が亡くなられて頓挫してしまいましたが、七〇年代に地方から巻き起こった文化行政による新しい時代に向けた挑戦は、国においても、政治においても無関心ではなかったということでしょう。また、国土計画でも文化の時代を模索する動きがあったという経験は、日本の行政を語る上でも重要だと思います。

小林先生は「田園都市国家構想」をどのように評価しておられますか。

小林　「田園都市国家構想」には、都会を離れて人間らしい暮らしを尊重する考えがあると感じていて、今の時代においても価値があります。ただ、理念的すぎて、少し先取りしすぎていたようにも思います。今こそ、当時の構想を振り返る意義があるのではないでしょうか。地方自治体の文化行政に関する講義でも、学生には「文化の時代」や「田園都市国家構想」について必ず話をしています。ビジョンを具体的に実現するときのスキームができていなかったという反省点はありますが、学ぶべきことは多いと思います。

当時は、行政よりも企業がその考え方を受け止めていました。企業は文化経営の視点から生き残りをかけて改革をしていて、企業メセナという動きも出てきていました。

私の研究過程では、大平総理が立ち上げた九つの政策研究グループのうち、特に「文化の時代の経済運営研究グループ」・「文化の時代研究グループ」・「田園都市構想研究グループ」の三報告書が非常に参考になりました。私は、一九九〇年に大学院博士課程に進みましたが、文化行政を研究している人がおらず、手当たり次第に文化と行政が結び付く資料を収集しました。そこで大平総理の研究会の報告書にたどり着きましたが、政府のなかで文化に対する議論があったこと、地方で積極的に文化行政を行っている事例があることを知って驚きました。

当初の私の関心は文化施設にありましたが、その後いろいろな地域と関わるようになって、ハコモノの運用や運営だけでなく、文化は地域づくりそのものだと考えるようになりました。あの時代に「田園都市国家構想」を掲げたことは賞賛に値します。

小磯　政策手法の面でも大きな変化がありました。「田園都市構想研究グループ」は政府職員以外の学識者に思い切って検討を委ねるとともに、各省庁の若手行政官を一緒にメンバーに入れて議論しました。当時、私も事務局の片隅でその熱気あふれる議論を聞いていました。官邸に大学の研究者を集めて審議会とは別の形で政策議論をすることも、総理直属の研究会で報告書の執筆まで任せたことも戦後初めての挑戦だったと思います。研究者の皆さんが主体的に原案づくりまでを担い、その息遣いを肌で感じられたことはいい経験でした。

小林　大平総理の意図はどこにあったのでしょう。

小磯　大平総理は香川県観音寺市の出身で、地方で生まれ育ちました。私も香川県で暮らしたことがありますが、住みやすい穏やかな田園地帯です。「文化の時代」、「地方の時代」、「地球社会」の到来という時代認識が政治家としての基調でした。戦後の高度経済成長による公害問題やオイルショックの経験から、工業化による近代化の限界を、文化、地方、国際的には環太平洋という視点から超えていこうという思いがあったのではないでしょうか。大平総理はもともと大蔵官僚でしたが、だからこそ政治家としては財政の外側から政策を模索していったのかもしれません。幅広い知恵を在野から募る方法論が政策研究会につながったように思います。新しい政策手法を探るなかで、文化、田園都市、地方の再生といった新しい軸を結び付けながら、日本という国の存在感を高めていこうというねらいがあったようにも感じます。早く亡くなられたのが本当に惜しまれます。

小林　一九七五年に文化財保護法が改正されていますが、重要伝統的建造物群保存地区（以下、重伝建）制度が加わり、それまでの文化財保護を大きく変えました。それまでは一つの建物や一つの美術工芸品を文化財に指定するというもので、一つ一つの文化財を点で指定していました。同じ敷地内にあっても個別に文化財として保護していく仕組みです。それに対して重伝建は面的な保護になっています。

福島県の大内宿や滋賀県の近江八幡などが重伝建に指定されていますが、経済発展から取り残されて放っておかれたところにかつての中心地がそのまま残っていて、地域の歴史や文化を携えた場所です。そこを面的に整備する仕組みが文化財保護法に加わりました。

もう一つ重要なのは、重伝建は市町村が主体であることです。それまでの国指定の有形文化財は、基本的に国の仕事でした。でも、実際は多くの所有者を説得しなければならず、地

文化政策に関する戦後の主な法律制定等の動き

西暦	年号	内　　容
1945	昭和20	**文部省に芸術課**が設置される
1947	昭和22	民主主義教育の目的・理念・教育行政の大綱を定めた**教育基本法**施行
1949	昭和24	社会教育に関する行政の任務を明らかにした社会教育法施行
1950	昭和25	国宝保存法等をまとめた上で保護対象に無形文化財・埋蔵文化財を新たに加えるなどして内容を拡充した**文化財保護法**施行 文化財の保存、活用、調査研究などを行う**文化財保護委員会**（文化庁の前身）設置
1951	昭和26	博物館の設置と運営に関する必要な事項を定めた**博物館法**公布（翌年３月施行）
1954	昭和29	**文化財保護法改正**（地方公共団体の条例による文化財保護の根拠規定や無形文化財の指定制度など）
1968	昭和43	文部省文化局と文化財保護委員会が統合され、**文化庁**が発足
1970	昭和45	明治時代に制定された**著作権法が全面改正**（翌年１月施行）
1975	昭和50	**文化財保護法改正**（埋蔵文化財発掘調査に関する地方公共団体の権限の確認規定、無形民俗文化財の指定制度、重要伝統的建造物群保存地区制度など）
1989	平成１	文化庁長官の私的諮問機関として**文化政策推進会議**を設置
1990	平成２	芸術の創造や普及、文化振興や普及を図る活動を援助する**芸術文化振興基金**発足
1992	平成４	地域伝統芸能等を活用した行事の実施による観光及び特定地域商工業の振興に関する法律（**地域伝統芸能等活用法**）施行
1994	平成６	**音楽文化の振興のための学習環境の整備に関する法律**施行 文化・芸術の振興による創造性豊かな地域づくりを支援する**一般財団法人地域創造**設立
1997	平成９	アイヌ文化の振興並びにアイヌ文化の伝統等に関する知識の普及及び啓発に関する法律（**アイヌ文化振興法**）施行
1998	平成10	美術品の美術館における公開の促進に関する法律施行
1999	平成11	**地方分権一括法**成立（翌年４月施行）
2000	平成12	著作権等管理事業法公布
2001	平成13	**文部科学省**発足、**文化審議会**を設置 文化芸術振興の基本法として、**文化芸術振興基本法**施行
2003	平成15	**地方自治法改正**（指定管理者制度の導入）
2005	平成17	**文化財保護法改正**（文化的景観や伝承民俗技術を含める等）
2006	平成18	**教育基本法全部改正** 公益法人改革関連三法公布
2011	平成23	展覧会における美術品損害の補償に関する法律施行 海外の美術品等の我が国における公開の促進に関する法律施行
2012	平成24	劇場、音楽堂等の活性化に関する法律施行
2015	平成27	文化庁が「**日本遺産**」事業創設
2017	平成29	文化芸術振興基本法が**文化芸術基本法**に改正
2018	平成30	**障害者による文化芸術活動の推進に関する法律**施行 **国際文化交流の祭典の実施の推進に関する法律**施行 文化財の保存と活用を重視した**文化財保護法改正**（翌年４月施行）
2019	令和１	アイヌ文化振興法が改正され「アイヌの人々の誇りが尊重される社会を実現するための施策の推進に関する法律」（**アイヌ施策推進法**）施行 文化審議会に**博物館部会**が設置
2020	令和２	文化観光拠点施設を中核とした地域における文化観光の推進に関する法律（**文化観光推進法**）施行
2022	令和４	博物館の登録制度などを導入した**改正博物館法**が成立（翌年４月施行）

※『自治体文化行政レッスン55』、文化庁 HP、国立公文書館 HP などを参考に作成

元の協力が必要です。そこで、重伝建では、伝統的な建造物を活かして、新しいまちづくりを展開する作業を市町村に託しています。開発から取り残されて、それまで見向きもされなかったものにも価値があることに気付いてもらうだけでなく、それを活用するために基礎自治体が主体的に関わっていく仕組みです。

文化財として指定されてしまうと外観を変えてはいけないなど、いろいろな制約があって所有者の理解を得られないことも少なくありません。しかし、当初の指定地区はエリアも広く、しっかり残っています。当時の文部省は人づくりに関心があったと思いますが、文部省なりの方法で、国づくりに向き合っていたように思っています。

小磯　七〇年代以降は、都市計画分野でも地方分権が進み、市町村に権限が委ねられるようになりました。今、小林先生がおっしゃったように、文化財保護の分野でも基礎自治体が主体になって進めていく動きになっており、連動しています。

小林　奈良の明日香村にある高松塚古墳の壁画の退色・変色が明らかになった時がそうでしたが、文化財がうまく保存されていないと、文化庁は責められてしまいます。発見したものを保護する、変化させずに永久保存するという発想なので、地域づくりや地域のアイデンティティといったものに文化財が活用される土壌がありませんでした。

ただ、その後は保護が負担になってきた状況もあり、近年は活用という視点から、文化に関するさまざまな法改正が続いて、文化財保護法も改正されています。保存と活用を両輪で考えていく流れになっています。

小磯　文化財の保護と活用のバランスは難しいテーマですね。土地利用計画でも、利用には必ず規制が伴います。文化政策も長い目で考えると、究極の目的に沿うものかどうかがポイントになるように思います。そこでは、保護に関わる技術的な議論も重要です。

小林　文化財保護法は規制法なので、指定されるといろいろな規制が非常に厳しくなるわけですが、その後、有形文化財の登録という概念が登場し、少し緩やかな制度となり、より活用を促進していく流れになっています。わかりやすい例が、近代化遺産でしょう。指定文化財では制約が厳しくて不可能なことも、登録文化財であれば、地域の人が愛している建物、今後も大切にしていきたい建物を登録してリスト化し、そこから少しずつ古い建物を活用するという考え方が生まれて、広がってきています。

伊勢神宮の例が顕著ですが、もともと日本は何年か経過したら壊して新しくするという文化があります。美術工芸の専門家から教えてもらったことですが、日本の文化財は伝世品といい、そもそもは修復しながら使っていくという発想です。その仕組みを少しずつ整えてきたと思います。

近年の文化政策と地方行政の変化

小磯　小林先生は文化審議会文化政策部会で臨時委員も務めています。

小林　私自身は、文化を地域づくりに活かし、もっと分権化して東京一極集中が変わるべきだと考えています。もっと地方自治体の皆さんに文化に目覚めてもらって、文化を活用したり、文化に目を向けた政策に力を入れてもらいたいです。そこから、人づくりやまちづくりも進化していくと思っています。地方自治体の職員の皆さんには、文化への理解を深めてもらい、もう少し文化で横串を刺すような政策を進めてほしいと考えています。

小磯　ここ数年は、目まぐるしく文化政策が変わっています。文化芸術基本法制定後、文化財保護法や博物館法の改正、文化観光推進法の制定など、観光分野にも文化という言葉が登場しています。小林先生は、この変化の背景をどのように見ておられますか。

小林　その背景には「気付き」があると思います。文化財でも芸術でも民俗学的な文化でも何でもいいのですが、文化はある特定の人たちだけのものではないことを国も国民も気が付いたのだと思います。そもそも文化とは、人が創り出したものです。多様性があり、日常的なもので、私たちの生活の中に深く浸透しています。産業やまちづくり、福祉など、さまざまな分野に文化や芸術を活かしている事例が現実にあります。それを実践していくことで、その場面や地域がさらによくなることに気が付いたのでしょう。

文化はお金にならない、むしろお金がかかると思われてきましたが、いろいろな活用例があります。阪神・淡路大震災や東日本大震災でコミュニティがいち早く復活できた被災地は、伝統的なお祭りがあるなど、文化的なイベントが知らず知らずのうちに人々の紐帯を強めていました。普段は文化を意識することがないかもしれませんが、災害などの非常時になると文化的なつながりがコミュニティの再生に大きな力になります。

私は地方自治体の条例や計画づくりにも関わっていますが、一〇年ほど前は異動で担当者が数年で変わってしまうなど、文化を定着させる素地が根付かないと感じていました。ただ、最近は都道府県職員の能力が上がっている感触があります。地域が生き残っていくため、これから発展していくために、文化が一つの要素になることを理解している人が増えてきていると感じます。特に、若い世代は地域の文化や芸術、文化財などが大切な財産であることを理解していて、自分の住む地域には東京や大阪にはない素晴らしい文化があるのに、まだまだ認知されていないという思いをしっかり持っています。そういったことが各地の条例や計画づくりに反映されているような気がします。

小磯　文化をキーワードにした地域づくりに可能性を感じておられますか。

小林　実感しています。例えば、ある県では文化振興条例を制定する際には県の課題をしっかり捉えて条例を策定しようとする姿勢が伝わってきました。地方自治体の文化条例は文化芸術基本法を網羅的に引き写しただけのようなものも多いのですが、どこに重点を置くか、行政として取り組むべきところとそうでないところをしっかり峻別して考えるようになっていると思います。自分たちができることは何か、住民と一緒にやっていくということは何かをしっかり議論していて、いい意味での地方行政の変化を感じました。

小磯　地方が変わるきっかけ、地方が主体的に発信していく新しい政策分野として、文化は非常に可能性のある領域だと感じます。国の政策の変化を踏まえると、地方もこのチャンスを生かしていくべきで、文化を地域づくりの有効なツールとして捉えていくべきでしょう。

小林　これまで政策の方針、物流、アイデアといったものは、東京や大阪などの都市部から発信して流通させる仕組みでした。地方はそれを受容する立場でしたが、文化は、そのモノが地方にあります。生産しているわけではないので地産地消とは言えませんが、昔からそこにあるものを、そこで活用することができます。例えば、北アルプスの美しい山並みはほかの地域では得られないものです。それは地元の人たちにとってみれば日常にあるもので、寒風が吹くのでありがたいものではないのでしょうが、そこにある魅力、そこから生まれてくる芸術の価値をもう一度見出すことが大切です。文化財や景観など、日本独自の地形も含めて、地方にあるものには価値があり、東京にはないものです。そして、東京に一極集中していないという点でも意義があります。

八〇年代に大分県の平松守彦知事が一村一品運動を打ち出しましたが、東京に各道府県のアンテナショップがあるように、特産品は東京に持ってくることができますが、文化資源は動かし得ないものもあり、現地に来てもらうことができます。わがまちの特性や価値を見てもらえる機会になります。

小磯　地方のハンディを乗り越えていくためには動かし得ない地域資源から、いかに経済的な価値を生み出していくかという視点が大切です。そこでは観光戦略が重要です。わざわざそこに出掛けて行って、しっかり消費をもたらしてくれる観光者を呼び込むという経済戦略です。その戦略を有効に進めていくためには、観光政策と文化政策を同じ土俵で考えていくことが必要です。文化資源の保存や活用に関わっている人たちと一緒に観光戦略を考えていくことで、より価値と魅力を高めていくことができると思います。

小林　でも実態は、縦割りの弊害で一体的に考えるということができていません。文化観光推進法の認定計画の申請状況を見ていると、意外と総合的に考えられる人材が地域にいないのだと感じます。良質な資源を持っていても、それを面的に地域としてまとめあげ、他産業への波及も考慮して観光化していくという、コンセプトづくりをできる人材が少ないのです。結果的に東京のコンサルの力を借りることになってしまって、自発的に自分たちでつくり上げた実感が伴っていません。ただ、最近はコンサルではなく、コーチングというスタイルが主流になってきました。地方で弱いコンサルなどの業種は東京に集中していることが多いので、人づくりや地域づくりの根幹になるものをいかに地域の中でつくり上げていくかが求められていくと思います。

小磯　中央の機能的な縦割りの意識は地方自治体にもかなり浸透しています。しかし、地方は、国の行政や大都市に比べると、顔の見える範囲で一緒に手を結び協力して、連携の力を発揮していきやすい環境にあります。その地方の特性、強さをしっかり自覚しながら取り組んでいくことが、これからは大切だと思います。

小林　若い世代は、文化は趣味や娯楽ではなく、アイデンティティだという認識があります。日常的なもの、必要不可欠なものとして文化を捉えています。思いのある若い人たちは既に動き始めていますから、それを応援していくべきですし、そこに大きな可能性を感じています。

小磯　日本の発展・盛衰の流れからみると、戦後しばらくはいかに食べていくかが主眼で、重点は産業振興にありました。それはやむを得なかったと思います。しかし、今はある程度完成された成熟国家になり、人口減少という大きな課題に直面しています。限られた人口で大きな経済成長がない時代という閉塞感があるなかで、どのように生き抜いていくかという価値観の転換を迫られています。そこで文化の役割が浮かび上がってきます。人間が生きていく上での滋味を与えるだけでなく、産業、所得、雇用の機会というコアの部分でも、文化が重要な要素であることを若い世代は理解しているのでしょう。

小林　今の若い世代が受け入れている文化は、いろいろな意味で差別がありません。参入に対する差別がなく、そのことによってある種の平等感や幸せ感を得られています。それは、ものの考え方を変えていくことにもつながります。男女の役割分担を超えていくような側面が文化にはあります。そのような思想を大切にしていかなければ、女性も子どもを産まなくなるでしょうし、仕事をしながら子どもを産むこともしなくなってしまうように思います。

東京と地方の違いは、その緩さにあるように思います。男女関係なく、自分の力を試せるような機会を、もう一度、地方で考え直してみるだけで、生きやすい世界が広がると感じます。

小磯　課題は、幅広い領域に文化というものが広がりつつあるなかで、そこをどのような担い手で地方の活性化に結び付けていくのかでしょう。これまでは教育委員会や学芸員などの限定された人たちが担ってきましたが、いかにその殻を破っていけるかが大きなテーマです。重要なことは、そのための仕掛けや方法論です。地方では、従来の狭い範囲で考えていっても限界があります。そこをブレークスルーしていくことがポイントです。

小林　文化芸術基本法には、基本理念の十項目に「文化芸術の固有の意義と価値を尊重しつつ、観光、まちづくり、国際交流、福祉、教育、産業その他の各関連分野における施策との有機的な連携が図られるよう配慮されなければならない」とあります。

文化庁で第二期文化芸術推進基本計画が策定されましたが、この十項の連携方法がわかりにくいように感じています。ただ、文化庁も大きく変化していて、観光庁や内閣府、経済産業省などから出向者がいて、それぞれの役所文化がいい感じに混じり合い始めています。この経験が地方に波及していってほしいと思います。文化は、あくまでも横串を刺す役割です。学芸員に産業や観光のことを考えてもらうことは難しいのですが、コーディネートできる人を仲介するなど、協力体制を確認する場を設けるだけでも変化があるように思います。また文化ホールなどでは、施設の外にいる住民に目を向けて、文化を活かすことができる専門的な人材が活躍するようになっていると感じます。
先日訪問した北九州市の自然史・歴史博物館にはインバウンド客も来館するそうで、彼らがインスタで発信してくれることがどれほど重要かを実感していました。そういったことを理解している人が一人でもいれば、連携にも積極的です。そのような成功体験が広がっていくと、もっと柔軟な体制ができるようになると思います。

文化資源を活かしたまちづくり

小磯　文化で横串を刺すというお話がありましたが、縦割りの垣根を超えることで課題が解決できることがあるという認識は大切です。また、学芸員の皆さんの活動が社会的に認知・評価されて、地域経済に資することを実感してもらう状況づくりも重要です。国内で参考になる事例はないでしょうか。
小林　早くから文化行政に力を入れてきた金沢市は、創造都市というコンセプトでまちづくりに取り組んできています。新幹線開業を見越して、準備期間を有効に活用していました。江戸時代からの伝統が残っているので、環境が整っていたという要因もあります。徳島県神山町は神山プロジェクトと称して、デジタル化やアートでまちづくりに取り組んでいます。事業を展開しながら地域づくりを実践するＮＰＯ法人が設立されていて、そんな動きが各地で出てくるようになれば、地域のあり方はもっと変わっていくように思います。

小磯　北海道では、広い意味での文化施設と言える旭川市の旭山動物園の政策経験がありま す。七〇年代以降のハコモノ施設の運営は、三位一体改革や指定管理制度の流れのなかで問題を抱えていた施設が少なくありません。でも、旭山動物園は運営を外部化する流れに逆行して、市職員を増員して改革に取り組んだ結果、国の規制もなく、市役所が自由に運営できる体制づくりができたのではないかと思います。大都市でしか経営が成り立たないと思われていた動物園が上野動物園を超すほどの動員力を持ったことは、いい意味で北海道の貴重な経験です。自治行政としてどのように文化施設運用や文化資源の活用を行っていくのか。これからの大きなテーマになっていくと思います。

小林　旭山動物園は私も評価していますが、その成功には小菅正夫元園長や坂東元前園長らがアイデアマンだったという要素もあります。北の大地にしかいない動物を集めるなど、素直に園の資源を活かしています。どのように展示すれば動物の生態がよくわかるかを突き詰めた結果だったと思います。

文化施設には、彼らのような資源の本質的な価値を取り出すことができる人材が必要です。また、それを行政がバックアップしていくことが欠かせません。どのようにすればその資源の価値をよりよく理解してもらえるのかを考え抜いていく姿勢が大切です。

小磯　旭山動物園の経験から学ぶべき点は、当時、指定管理者制度、民間による経営効率化という方向で多くの施設が管理をアウトソーシングするなかで、あえて動物園の体制を強化したことです。自らの管理運営で文化資源の価値を高めるために、行政資源を集中投下しています。トップの決断も重要です。

小林　夏に大学院生のゼミ合宿で行った八戸市も評価しています。八戸市では自治体が書店を経営していて、画期的だと思いました。文化という点で、非常に興味深いまちです。学生たちと飲み歩きましたが、いまだにたくさん飲み屋があることにも驚きました。

小磯　私も取材に行きましたが、八戸市で感心したのは「ないものはねだらない」という自前精神とハングリー精神です。温泉がなくとも、朝湯の伝統を活かして漁港の朝市と結んで観光タクシーを走らせたり、大手資本の商業施設がなくても地元の商業者が開設した「八食センター」があったり、新幹線駅と「八食センター」を結ぶバスを運行させて新幹線の乗車率を高めるなど、地域資源を活用していろいろな工夫をしています。二〇〇二年の青森県の観光入込客数は多い順に弘前市、青森市、八戸市でしたが、今では八戸市がトップです。市による書店経営で本の文化を広め、発信していくなど、幅広い分野で地域資源をしっかり活かした興味ある取り組みをしている都市だと思います。

小林　同感です。ほかに「八戸ポータルミュージアム（はっち）」が有名ですが、二〇二一年に開館した八戸市美術館も非常に設計の質が高く、今までの美術館の概念を変えるような建物で感心しました。

党派争いに時間を費やすのではなく、そのようなことをうまく仕掛けていくことこそ首長の役割だと強く感じます。首長は政治家であると同時に、行政のトップでもあります。まちづくりの大きなビジョンを示すことが、選挙の結果にもつながるはずです。

小磯　文化資源を活かした取り組みという点では、個性ある図書館が全国各地で登場するようになり、そこにも注目しています。

小林　今は建て替え時期に当たっている図書館が多く、建て替えを機に個性的な図書館ができているように思います。北海道は札幌市民交流施設にある「札幌市図書・情報館」や「恵庭市立図書館」などが印象に残っています。特に「札幌市図書・情報館」は文化・芸術に特化したコーナーがあったり、起業する人たちが集まる空間が整備されていたりと、これから北海道や札幌で活躍するデザイナーや起業家を育てていく施設になっているように感じます。

小磯　図書館は国の介入が少ないので、やる気になればいろいろな可能性が広がる空間です。創意工夫した展示企画など、各地で図書館を核にして、地域にある幅広い文化資源をうまく活かしていく取り組みが出てきているように思います。

国内でいち早く図書館のまちづくりで注目されたのは北海道の置戸町でしょう。学生時代の六〇年代、地域おこしの先進事例で学んだことを今でも覚えています。戦後、日本の各地で社会教育運動が起こって、置戸町ではその拠点が図書館でした。そこから地元の名産品となったオケクラフトが生まれました。全国から木材加工職人やデザイナーを呼んで、図書館で勉強会を開催し、何人かが置戸町に移り住むようになり、そこから地域資源を活かす地場産業に発展したものです。その伝統がオホーツク地域の図書館に伝播し、オホーツクの図書館は利用率も高く、管内での連携も進んでいます。

小林　文化ホールや美術館に比べて、図書館はみんなが利用しているので、地方の文化行政サービスのなかで、最も住民に利用されている文化施設と言われています。デジタル化が進み、なおさらリアルな図書は価値があるようになってきました。また、子育て中の親を対象にした読み聞かせ会の開催やスペースの確保など、子育て世帯が多い自治体も図書館に力を入れています。充実した図書館のあるまちに住み着く傾向があるそうで、それは子育て世帯だけでなく､高齢者でも同じでしょう。地方は素晴らしい図書館が多くてうらやましいです。

これからの文化政策と北海道

小磯　最後に、これから文化政策が目指す方向についてお聞きします。

小林　日本は自然環境の多様さが文化の豊かさを育んできた国で、文化財や民俗芸能などでそれが表現されています。少子高齢化による地域の衰退状況はありますが、日本の豊かさはかけがえのないものです。まず、そのことを地方自治体や住民が認識しなければいけません。ＩＣＴの進展などにより地方の利便性が増しているので、今は東京に住む必要がなくなってきています。特に、若い世代は自分が住んでいる地域を何とかしたいと考えていて、自分たちの地域の個性にも気が付いています。

一方で、意外と自治体職員は地域の個性や文化を客観視できていないように感じます。それぞれの地域には、固有の文化や歴史を守ったり、残したりする活動をしている人がいますから、自治体職員の皆さんにはそういった人たちと交流しながら、地域の特性や価値をあらためて見直してほしいと思います。

北海道は多様性を体現している地域ですが、札幌にいろいろなものが集中しすぎているとも感じています。道内各地にあるいろいろな文化資源をもう一度見つめ直して、北海道の多様性を打ち出していくことを期待しています。

小磯　北海道では二〇二〇年にアイヌをテーマにした「ウポポイ」が開設され、多様性を発信する大きな契機になっています。

小林　地域の中に国の施設ができてしまうと一緒に何かをやるという風潮が薄れてしまう傾向があるので、もっとネットワークを充実すべきではないかと感じています。アイヌ文化の継承や発信は、もともと民間と一緒に取り組んできた経緯があると思いますので、その伝統をうまく機能させてほしいと感じます。若い世代が中心になって、踊りなどの無形文化遺産を保護し、実演もしていますが、伝統的なアイヌの踊りだけでなく、創作的な動きもあるように聞いています。将来はこのような文化財と指定との関係をどう考えていくかということも問われてくると思います。

小磯　アイヌ政策については、現在はアイヌ施策推進法で進められていますが、最初のアイヌ振興の立法化は、一九九七年のアイヌ文化振興法でした。八〇年代に中曽根総理が「日本は単一民族国家」という趣旨の発言をして、政治問題化するなど大変難しい状況でしたが、文化振興からのアプローチで最初の立法化につながりました。それが二〇一九年にアイヌ施策推進法に改正されて、地域の活性化を含めたアイヌ施策の総合的な政策が進められていきます。施策の実施主体は主に市町村で、文化政策からスタートして総合政策に展開していった点で参考となる先行事例だと思います。

ところで、私は二〇二三年から恵庭市の北海道文教大学に設立された地域創造研究センターで活動しています。地域の課題解決に向けた新たな政策発信を目指すのがセンターのミッションですが、そのプロジェクトの一つが文化政策です。地域資源を広く文化資源として再認識・評価することにより先駆的な文化創造都市を展開していくとともに、文化の視点で既存の硬直的な都市政策に少しでも横串を刺していければという思いもあります。

小林　是非挑戦してください。応援させていただきます。

小磯　ご支援を期待しています。今日は文化の幅広い可能性を感じる楽しい対談になりました。ありがとうございました。

國學院大學観光まちづくり学部教授

塩谷英生 × 小磯修二

地域経済政策としての観光

塩谷　英生（しおや ひでお）

筑波大学で計量経済学を専攻後、1989年日本交通公社（現公益財団法人日本交通公社）入団。2018年理事・観光経済研究部長を経て、2022年國學院大學観光まちづくり学部教授。観光科学博士。専門分野は観光統計、経済効果、観光財源等。観光庁「旅行・観光産業の経済効果に関する調査研究」「訪日外国人消費動向調査」等を企画・実施。釧路公立大学地域経済研究センター「地域観光の経済効果分析と地域自立型産業への展開に向けての研究－釧路・根室地域を事例に－」研究メンバー。共著に『観光地経営の視点と実践』など。

2023年７月６日対談

観光産業を探る

小磯 人口減少時代になり、域内の経済需要が縮小していくなかで、地方自治体の政策についても外から稼ぐことを意識的に戦略化して、積極的に経済政策に関与していくことが大切です。今後の地方の経済活性化については、従来型の企業誘致や一村一品的な地場産業振興だけでは限界があり、サービス移出産業としての観光産業の役割が大きくなっています。自治体にはそこを自覚して観光政策に向き合ってほしいと思います。二〇〇〇年代に入ってから、国の政策を含めて、観光を巡る状況は大きく変化していますが、自治体の観光政策については、地域経済政策として稼ぐ力を高めていくことが重要です。

塩谷 『令和5年版 観光白書』の第Ⅰ部「第3章 持続可能な観光地域づくり」の第1節には「新型コロナウイルス感染症からの観光の回復に向けた動きと、稼げる地域・稼げる産業への変革の必要性」が掲げられていて、国も地域が観光で稼ぐことに言及しています。

小磯 塩谷さんとは、釧路公立大学地域経済研究センターと財団法人日本交通公社(現公益財団法人日本交通公社、以下、JTBF)が共同で取り組んだ「地域観光の経済効果分析と地域自立型産業への展開に向けての研究―釧路・根室地域を事例に―」(以下、観光共同研究)で一緒に観光産業を科学的に分析し、地域は本当に観光産業で自立できるのかという問題意識で活動しました。この共同研究は、地域産業政策として観光に正面から向き合う契機になりました。

私は一九九九年に地域経済研究センターに赴任しましたが、そこでのミッションは地域の課題解決に大学の研究機関が寄与していくことでした。当時の釧路地域は、太平洋炭砿の閉山、漁業の水揚量減少、製紙業も先行き不安定と、三大基幹産業が軒並み衰退していく厳しい状況でした。一方で、釧路地域とその周辺には釧路湿原国立公園、阿寒国立公園（現阿寒摩周国立公園）、知床など極めて貴重な自然資源があり、観光産業をこれからの発展産業の核に据えていけないかという思いがありました。観光共同研究はその可能性を探るもので、当時ＪＴＢＦで研究員だった塩谷さんとの出会いから、地域経済を分析し、経済波及効果を高めていく観光政策のシナリオづくりを一緒に研究させていただきました。その過程で、あらためて観光を産業として捉えていくことの大切さや科学的な分析の重要性を認識しました。

研究成果をもとに観光産業の重要性や波及効果を高めていく具体的な手法も発信していきましたが、説得力のあるデータによって将来の方向性を示していくことで、観光産業に携わっている人だけでなく幅広い市民が観光に向き合う状況が生まれ、地域に大きな変化が出てきたことは、私にとっても貴重な経験でした。

釧路市はそれを契機に、観光政策に力を入れるようになり、二〇〇七年には釧路公立大学地域経済研究センターと共同で「第一期　釧路市観光振興ビジョン」を作成しました。現在も第二期計画で、観光消費と域内循環の双方を高め観光産業を振興していく戦略を掲げています。観光消費による経済波及効果を目標値にしている自治体は珍しいと思います。

塩谷さんは観光共同研究で何が印象に残っていますか。

塩谷　学生時代に北海道をくまなく訪問しましたが、釧路・根室地域は非常に広大な地域で、経済効果を算出することは簡単ではないと思っていました。ただ、日帰り客が少ない地域なので、夏と秋に宿泊施設でのアンケート調査を実施し、宿泊客に絞った経済効果を推計するという設計をして、合わせて事業者調査も行いました。どのように経済効果を高めていくのかという観点から、漁協でも話をうかがいましたが、最初は「お前は何しにきたのか」「観光なんて関係ない」という冷たい対応でした。

でも、調査を通じて水産業も観光に関わっていることが理解されると、皆さんが変わっていきました。小磯先生がわかりやすく情報を加工し発信してくれたおかげです。行政の政策もだんだん変化していったプロセスでした。

小磯　観光共同研究では、観光産業をより正確に分析するために独自の地域産業連関表を作成しましたが、これを活用した分析は、より説得力を持って研究成果を説明するのに大変役に立ちました。

北海道では長期的な北海道総合開発計画策定のために、早くから産業連関表を使って産業構造を分析して政策に活用する伝統があります。北海道全体だけでなく、釧路・根室地域の産業連関表も北海道開発局が作成していたので、それを活用しました。

また釧路市も一九七〇年代に全国の都市のなかでいち早く地域産業連関表を作成していました。今でも、その連関表を使って観光消費の経済波及効果分析を行い、観光政策に活用しています。観光共同研究は、政策ツールとしての産業連関表の有益性を発信する機会にもなったと思います。

特に発信力があったのは、宿泊施設や飲食店だけでなく、漁業や農業、製造業、卸や小売、運輸・通信など幅広い産業群に経済波及効果があることを産業連関分析で示したことです。

塩谷 観光産業の特徴は、非常に裾野が広いことと、移輸出産業なので地域の自立に役立つことで、これが観光産業の強みです。非常に多様な産業に波及するので、地域に昔からある産業を残していく効果や雇用を維持していく点からもハブになる産業と言えます。

小磯 幅広い産業に観光消費が行き渡っているという分析結果は、釧路市職員だけでなく地域で仕事をしている人たちにも大きなインパクトを与えました。ガソリンスタンドやコンビニの従業員などが観光消費による恩恵を受けていることを理解し、日々接しているお客様のなかに観光客がいることを認識したことで、店頭に観光パンフレットを置くなど、意識、行動に変化がありました。

塩谷 漁業者の皆さんの対応も変わりました。

小磯　それまで漁業者の皆さんは観光なんて眼中になかったのですが、観光消費の漁業への生産波及効果は四八億円ほどになるという共同研究の結果を見て、意識が変わりました。観光関連の補助金申請に、それまで足を向けたことがなかった経済産業省にどうアプローチしたらいいだろうかと相談されたことがありました。何よりも大きかったのは、市場流通の変化です。それまで水揚げされた高品質な魚介類は首都圏などの本州に流れていましたが、地元でも高品質な魚介を卸す動きが出てきたのです。

塩谷　域内循環という点で、そこが非常に重要です。

小磯　域外からやって来る観光客は、釧路でしか味わえない魚介を食べたいのです。そこにおいしい魚を地元に卸そうという意識が漁業関係者に出てきて、釧路の食の魅力が一層高まりました。非常に手応えを感じる経験でした。

塩谷　釧路・根室地域の来訪者アンケートでは、同じ商品でも「地場産品」であることが表示されていれば高くても買うと回答した人は七六・八％で、平均の割増し率を計算してみると一五・六％割高でも買うという結果でした。

小磯　同じような商品でも地場産であれば少し高くても買うという回答は、域内調達率を上げて消費効果を高めていく重要なポイントです。観光共同研究の成果は、その後、弟子屈町や、塩谷さんにもサポートしていただいた標津町での共同研究など、そのほかの地域にも展開されました。一緒に取り組んだ観光消費経済効果研究の考え方は、全国的にも浸透していったと感じています。

インバウンドと国内市場のバランス

塩谷 観光共同研究は二〇〇〇年にスタートしていますが、同じ年に国土交通省総合政策局の「旅行・観光産業の経済効果に関する調査研究」が実施されて観光産業の重要性が示されました。また、「沖縄県における旅行・観光の経済波及効果調査」も同じ年に調査が行われ、いずれも私が担当させていただきました。そんなタイミングもあって観光経済効果の重要性は周知されたと思います。

小磯 観光共同研究の過程では、先行していた沖縄県の動きも勉強しました。観光産業を考えていく上で、沖縄県は非常に参考になる地域です。同じように島で閉鎖されていることからデータが取りやすいという利点が共通しています。ただ、北海道は域内需要が大きな割合を占めていますが、沖縄県は域外消費が多く、外から稼ぐ力が強いことが大きな違いです。

塩谷 沖縄県には沖縄振興特別推進交付金と沖縄振興公共投資交付金という一括交付金があるので、比較的財源は潤沢です。その点で、北海道はもっとしたたかな戦略が必要な気がしています。

小磯　おっしゃる通りです。二〇二〇年から北海道観光振興機構の会長を務めましたが、力を入れたのが北海道の観光消費の経済効果調査の充実でした。沖縄県では毎年観光収入を試算していますが、北海道では五年に一度しか観光経済調査をしておらず、遅れを取っていました。大掛かりな調査は五年に一度のままですが、今は簡易推計ではありますが調査を毎年実施するようにしました。

ちょうど新型コロナウイルスの影響が出てきたタイミングだったので、毎年推計にしたことでコロナの影響を明確に数字で示すことができて大きな成果となりました。北海道のGRPは一九兆円ほどですが、コロナ禍で一兆円以上の観光消費額が損失したという推計を発表し、北海道経済を支える観光産業の役割を具体的に示すことができました。疲弊した観光事業者を救済するためだけでなく、観光インフラを担う事業者が破綻すれば北海道経済は大きな打撃を受けることを、具体的に数字で伝えながら思い切った支援策が必要であるという考えを国の政策担当者や政治家に伝えていきました。

やはり、数字的な裏付けがあると担当者の反応は違います。説得力のある科学的なデータを示すことが、政策実現には効果的です。

塩谷　沖縄県でも似たような状況がありました。二〇〇〇年に実施した調査結果はお蔵入りになりそうな状況でしたが、アメリカの同時多発テロで観光消費が大きく落ち込み、県からマイナスの経済波及効果を推計する要望がありました。その結果を国に示して予算を獲得してきた実績があり、その後で公表する流れになりました。担当者からも感謝されました。

ただ、観光経済調査の潮流を振り返ってみると、インバウンドが伸びているなかで、消費額や経済効果ではなく、入込数を追う流れに戻ってしまった気がしています。二〇一一年の東日本震災でいったん落ち込みましたが、その後は右肩上がりでインバウンドは伸びています。放っておいても観光客がやってくる状況で、都道府県の観光地間競争のような様相を帯びてきて、特に黎明期のインバウンド市場では数を売ることが政策目標になってしまいました。

また、これまでの観光経済調査は日本人だけを調査していればよかったのですが、外国人も調査しなければならない状況が出てきました。予算が倍以上かかってしまうことになり、観光予算が伸びていないなかで、観光経済調査をできない自治体が増えていった印象があります。

小磯　確かに説得力のあるインバウンドの消費額を調査することは難しいと思います。ただ、塩谷さんが関わっていた観光庁の「訪日外国人消費動向調査」はかなり充実した調査で、地域で活用できるのではないでしょうか。

塩谷　ただ、あの調査は都道府県別の集計までで留まっています。市町村別の精度の高いインバウンドの消費データはほとんどない状況でしょう。そういう意味では、自治体レベルで観光経済効果を信頼できる数字として示していくことが停滞していて、危機感を持っています。

小磯　今後の市町村の観光政策を進めていく上で、インバウンドの観光消費を地域の経済発展に結び付けていくことは重要です。市町村レベルでの消費額調査は、今後の課題と言えますね。

塩谷　二〇一九年でインバウンドのシェアは全体の二割弱でした。コロナで落ち込みましたが、今は復活していて、既に京都や鎌倉はオーバーツーリズムになっています。インバウンドはこれからも増えると思いますが、需要の変動も大きいため、インバウンドと国内旅行市場のバランスを取りながら政策を進めていく必要があるだろうと思っています。インバウンドばかりを追っていては、リスクに対応できません。

コロナ禍でマイクロツーリズムが叫ばれましたが、地元客はリピーターになりますし、地元での観光はいち早く回復していました。リスクヘッジをしながら、誘客を進めていくことが重要です。

小磯　世界的に見ると、中国やインド、アフリカなどの所得が増えているところは、観光需要が伸びています。

塩谷　中国では停滞もみられますが、全体としては長期的に伸びていくと予測されます。

小磯　日本という国の単位ではインバウンド需要を取り込んだ観光産業政策は大変重要です

が、地域の観光戦略は国とは視点が違うところがあります。日本だと外から稼ぐとなると海外になりますが、国内の地域であれば、海外でなくても域外から来てくれる国内観光客から稼ぐという戦略があります。各地域で観光消費を高めていくために、国内は重要なマーケットで、どのようにバランスさせるかがポイントです。さらに、北海道という地域で考えると道内の需要もあります。コロナ前の北海道の総観光消費額は約一兆五〇〇〇万円ですが、その半分以上が道内需要です。

塩谷　北海道は道内需要があったから、コロナ禍でも市場を維持できたと言えます。ですから道内需要をしっかり視野に入れて地域観光戦略を仕立てていく選択肢があります。おっしゃるように、あとはバランスの問題です。国内市場で飯を食えるぐらいは稼いで、インバウンドはプラスアルファとして、そこで利益を出していく。その考え方が最もよいバランスではないだろうかと考えています。

非常に危惧しているのは、インバウンドが増えたことに加えて、円安も手伝って、外資系宿泊施設がどんどん参入してきていることです。しかもアメリカやヨーロッパでは、日本よりも一年以上早く旅行市場が回復しているので、ホテル産業も体力があります。マリオットやヒルトンなどの大手がどんどん入ってきて、同時に星野リゾートや共立リゾートなどの国内大手のホテルチェーンも経営が厳しくなった施設を買い取るなど、各地に入り込んできています。国内企業であっても、域外資本であれば外資であることに変わりはありません。当然、経済波及効果の観点からは、観光消費の利益が本社に持っていかれるので域外に資金が漏出してしまう恐れがあります。その流れが加速しないかを懸念しています。

もう一つの懸念は、雇用です。コロナで観光産業から働き手が離れてしまって、人手不足が深刻な課題になっています。先日もある観光地のそれなりのクオリティの宿で、浴場の洗い場が清掃されていなかったり、脱衣所の足ふきマットが交換されていなかったり、夜にフロントに一人しかスタッフがいなくて行列ができているような光景を目にしました。

今後さらに外資系が入ってくると人材の取り合いになって、単価の高い外資系に優秀な人材が引き抜かれていく流れが出てくるでしょう。そうすると、大衆向けの地元資本の施設は、運営が厳しくなっていく可能性があります。それを非常に危惧しています。

観光庁は富裕層を呼び込むことに前のめりで、外資系はウェルカムという姿勢です。他の省庁も同じ傾向なので、もう少し地元資本を活用すべきではないかと思っています。

小磯　ただ、日本は人口減少で経済需要が縮小するので、外の需要を取り込んでいく考え方は必要です。

塩谷　それもバランスの問題だと思います。たくさん旅行客が来れば雇用も発生するし、何らかの経済効果はありますが、域外資本が参入すると漏出していく企業所得の割合が大きくなります。

地方の大きな課題は、企画力不足やオペレーションの弱さです。漏出していく部分を少しでも小さくできるようなバランスのよいパートナー探しが、今後、域外資本と組むときに重要になってくるでしょう。

小磯　いずれにしても域内、国内、インバウンドをバランスよく取り込みながら、できるだけ域内に多くの消費が安定的にとどまるような仕組みづくりが、政策のベースになるでしょう。ただ、最初からインバウンドを追うのではなく、地元で足固めをしつつ、地域の魅力を高めて、域外資本が入ってきても外に資金を漏らさない仕組みづくりに向き合っていくということでしょう。

地域の横連携と経済効果

塩谷　経済効果を高める上では、域内の経済循環の仕組みが出来上がったところで、外国人を誘客していくことがベターでしょう。特に、重要なのは横の連携です。経済効果計算は垂直方向で計算しますが、実際には宿泊施設とアドベンチャーツーリズムのような体験ツアーが横で連携していることが大切です。地元同士の水平連携は経済効果が大きくなるのですが、外資が入ってくると連携が切れてしまうことがあります。政策サイドはそこを意識して仕組みを検討していく必要があります。

小磯　横の連携を強化する観光政策は、結果的に波及効果を高めるとともに、時間軸で考えると、持続的な仕組みであり、目指すべき方向です。ソーシャルキャピタルとしての地域内の連携力が波及効果を高めていく大切な要素になります。

塩谷　ただ、そのような調査研究事例はまだ見当たりません。自前で食事を提供せずに地元の飲食店利用を促すようなホテルチェーンもあるので、そのようなところをしっかり分析していくことが、今後の研究課題の一つです。

小磯　道内でも恵庭市、南富良野町、長沼町の道の駅にマリオット系のホテルが開業しています。

塩谷　二〇二二年末時点の主な国際ホテルチェーンの規模を調べてみると、マリオットは全世界で一五三万室を有する最大のホテルチェーンです。これは日本国内のホテル・旅館の総室数にほぼ匹敵する規模です。さらに、ヒルトンは全世界に一一三万室、インターコンチネンタルは九一万室、メルキュールやイビスを展開するアコーは八〇万室、ハイアットは三〇万室となっていて、しかも増加が続いています。少し大げさに言えば、幕末の黒船来航のような脅威を感じます。

小磯　道の駅のマリオットは食事を提供せず、飲食費が地元に落ちる仕組みになっています。

塩谷　ホテルチェーンでは、自社のホテルを運営する場合と、ホテルを所有するオーナーが別にいて、それを運営する場合があります。国際ホテルチェーンは、後者の形態の比率がほとんどで、運営で利益を出すことを徹底しています。国内のホテルチェーンもそれを踏襲していますが、結果的にその利益は本社に吸い上げられる仕組みで、地元に十分なお金が落ちません。

小磯　地域は、それをしたたかにうまく使いこなす力が求められているわけですね。そのためには何がポイントになるのでしょう。

塩谷　一つの答えは、宿泊税のような、外資系ホテルからも資金が回収できる仕組みでしょう。それを地域の経済循環に還元していく方法はあると思います。ただ、雇用の規制は難しい問題です。また、日本はＧＡＴＴ（関税及び貿易に関する一般協定）に加入した際に、外資の土地購入について特段の留保条件を設けなかったという問題があります。二〇二三年一月に中国人女性が沖縄県の無人島を買ったというＳＮＳの投稿が話題になりましたが、日本人は中国で土地を買うことができませんから、不平等条約を結んでいるような状況で、そうした課題はしっかり提起していく必要があります。地域の資金や雇用を守る政策をどのように考えていくのかは、主に国レベルの問題ですが、大きなテーマになります。

小磯　地方の活性化に向けた観光戦略を考えると、宿泊機能がないことは致命的です。道の駅にマリオットが進出した地域は、非常に心強いと考えているはずです。

塩谷　外資の強みは目利きであることです。企画力と運営ノウハウがあります。そこと勝負して勝てるかという問題は常にあります。

小磯　受け入れる地域は、したたかに利用する能力が求められると。

塩谷　利益が地域に落ちる仕組みを構築したなかで、パートナーシップを組めるかどうかが重要です。

小磯　政策としては、前向きに変化させながら対応していくことが求められます。

塩谷　政策担当者がそうした意識を持っているかどうかも大切です。外資系は経済効果のアンケート調査をお願いしても、本社に聞かなければ答えられないとなって、回答率が低い傾向があります。そうしたことに協力する意識も弱いような気がしています。観光協会への加入率も低いとの声があり、域外資本に対しては、どのように地域に貢献してもらうかという視点が、政策的には非常に重要です。

例えば、予約サイトの運営などでＤＸ面での支援やインセンティブを与えることで、域外のオンライン旅行会社への支払額を抑制するなど、行政が地元資本の宿泊施設の経営を政策的に支援していくことなども考えられる一つの対応でしょう。域内での水平的分業のような仕組みづくりへの支援をしながら、それらを旅行者に発信してアピールしていくことも必要です。政策担当者が地域経済にプラスになるような政策の優先順位を付けられるかどうかという眼力が求められています。

小磯　そう考えると、より質の高い科学的な分析手法を身につけて、政策を展開する自治体の政策能力を高めていく必要があります。インバウンドや外資系資本に向き合うことは難しさが伴いますが、向き合わざるを得ない状況です。

ただ、自治体には優秀な人材が集まっています。これまでの観光部署はプロモーションや

PR活動に重きが置かれてきましたが、これからは海外投資を見極めながら、地域経済効果を高めていくための観光戦略を構築していく手腕が求められます。

塩谷　データ関連の作業は若手が担当することが多いのですが、作成過程までは若手でも構いませんが、分析は中堅職員がやるべきで、そこは首長や幹部レベルでしっかり認識して対応する必要があります。

教育旅行の効果

小磯　北海道が観光産業で外から稼ぐことを考えると道外とインバウンドになりますが、道内客の消費額が全体の半分以上を占めているので、道内の観光客への対応も重要です。一方で、北海道は人口減少から二〇年以上を経過し、域内需要はどんどん減っています。

ただ、コロナ禍で感じたことがあります。北海道観光振興機構では、コロナ禍で観光事業者を支援しようと道内の教育旅行に力を入れました。密を避けるために余分にかかった道内の教育旅行の費用を国の地方創生交付金を活用して補填したのですが、非常に好評で、道外や海外に目が向いていた教育旅行が道内で実施されるようになりました。休止していた教育旅行を復活できただけでなく、若者が北海道への関心を高めたことは大きな成果でした。教育旅行を道内で実施することが、将来、北海道の魅力を伝えていく人材、北海道観光の担い手育成につながることを再認識しました。マイクロツーリズムや教育旅行といった足元を見つめ直す観光も大切です。

塩谷　コロナ禍では教育旅行で支えられたという地域が多く、京都市でもそんな話をうかがいました。沖縄県では義務教育で観光の副読本を作成して人材育成につなげていますが、その結果、若い人が県内旅行をするようになったと聞いています。副読本で学んだ後に現地で実習する機会になっているようです。楽しく学びながら地域を知るという効果は大きいと思います。

小磯　教育旅行とともに、一般市民に向けた観光教育も大切です。

塩谷　コロナ禍で地元の旅行をした人たちは、地域の新たな魅力を発見する機会になったと思います。繰り返しになりますが、地元客、域外客、そしてインバウンド客のバランスをどのように考えるかということでしょう。経営基盤を固める意味では、近隣客で原価を稼いで、インバウンドで利益を出していくという重層構造を目指すべきではないでしょうか。コロナであらためて明らかになったのは、観光はリスクの大きい産業だということです。できるだけリピーター率が高くなるようなポートフォリオを構築していくことが大切です。

観光を担う政策マンの育成

小磯　観光政策を担う自治体の担い手の力を高めていくことも重要です。観光政策の現場を見ると、行政職員が必死にイベントや行事を担っている実態があります。本来の観光政策に向き合う時間がないのです。また、それに安住している雰囲気もあります。地域政策のなかで観光政策の重要性について、特に経済政策としての役割について、認識を深めていくべきです。

塩谷　気になっているのが、平成の大合併の弊害です。研究フィールドの一つに岐阜県高山市があり、そこには飛騨山脈南端の乗鞍岳や田園風景が広がる旧丹生川村エリアも含まれています。ところが交付金などの特例措置がなくなり、支所単位で意思決定をすることが難しくなっています。旧市町村の単位で観光地をチェックしてみると、それまではその地域選出の議員がいたから何とか前進できた事業もそれができなくなってきています。市町村合併後の行政のなかで、すべての地域を目配りしていくことが難しくなってきているように思います。

世界遺産である広島県の宮島エリアも人口は二〇〇〇人以下です。大観光地である宮島の観光政策を展開する上では地元の皆さんとのネゴシエーションも必要で、出身者が核にならざるを得ない面があるのですが、宮島出身の廿日市市の職員は数人しかいないそうです。住民と折衝しながら政策を実践していく行政マンが必要なのですが、広域合併後の旧町村では、人も足りない、財源も少ないという状況があります。ただし、宮島では法定外税である宮島訪問税を二〇二三年から導入して、財源不足解消の一助になることが期待されています。

阿寒湖温泉も阿寒町と釧路市が合併していますが、そこから何か方向性が見出せないのか、お聞きしたいと思っていました。

小磯　人口減少時代は、行政サービスの提供主体である自治体は広域化していかざるを得ませんが、観光政策を遂行していくために、どんな器が最適かは、難しいところです。合併がいい、悪いではなく、その選択を将来に向けてどのように生かしていくかを見極めていくことが大切です。阿寒町と釧路市の合併は、観光政策の面で、その効果をうまく活用した事例でしょう。阿寒町では、私もお手伝いをして観光政策の独自財源確保のために入湯税のかさ上げを検討していましたが、阿寒町時代は実現しませんでした。合併後、釧路市で入念な検討をして制度設計し実現しました。実質的には阿寒町だけに政策効果のある措置ですが、釧路市全体の観光政策として検討を進めて先駆的に導入したものです。その後全国の温泉地に普及しましたが、合併により政策の質を高められた事例だと思います。

観光はやる気になれば独自財源を獲得できる分野です。そこも意識しながら、ＤＭＯが担うのか、特別な組織を置くのか、あるいは行政のなかで抱えるのかなど、いろいろな判断があると思います。

塩谷　そこでは、トップの判断が重要です。

小磯　観光政策に対する首長の理解と洞察力が求められます。行政体も大小あり、札幌市の定山渓温泉や神戸市の有馬温泉のように、大都市では一部の観光地の政策への理解を得ることがなかなか難しい局面もあります。それぞれの地域に応じて議論して答えを見つけていくしかないでしょう。

塩谷　インバウンド向けのプロモーション事業は都道府県単位が有効だと思いますが、私は都道府県や市に、コンサルタントやシンクタンク的な能力を求めるべきだと考えています。特に都道府県は、市町村人材では十分賄えないノウハウを提供することに特化していってほしいと思います。

これからの観光政策に向けて

小磯　最後に、これからの観光政策に向けて、いくつかお聞きします。まず、文化資源の活用です。これまで文化資源は保護の観点が強かったのですが、最近は幅広く活用していく流れになっています。地域の文化資源としては、例えば博物館や図書館があります。そこには、司書や学芸員などの人材も含まれます。ただ、これらは教育委員会が所掌している自治体がほとんどで、観光政策とは距離があります。今後は、積極的にコラボしていくことが必要ではないかと思います。

塩谷　同感です。例えば、学芸員が兼業できるような仕組みも考えられます。学芸員は優秀な人材で、かつ文化財にも知見があるので、観光分野で活躍できます。地方では一人が何役もこなす兼業で成り立っているので、兼業スタイルを極めていくことが重要だと思います。市町村職員についても多くの場合、農業しか兼業が認められていませんが、もっと幅広く他産業の兼業ができる仕組みがあってもいいと思います。神戸市では専門的なスキルや知識を持つ副業人材を登用しています。ある程度の範囲や所得の限度額を決めて兼業できるような仕組みをつくれば、市町村職員は有能ですから、いろいろな分野に貢献できる気がします。

小磯 自治体のなかでも兼務をすすめていくことが必要でしょう。例えば、教育委員会に席を置いて、市役所の企画課を兼務するようなイメージです。

塩谷 それが第一段階かもしれませんね。

小磯 図書館の司書でも地域への関心が高ければ、まちづくりの部局と兼務して地域の魅力を発信したり、情報収集の場として、図書館のより有効な活用を進めていくことができるのではないでしょうか。図書館は有益な空間です。学芸員もいろいろな分野を兼務することで、文化資源をよりよく活用していくことができる。これからは兼務や兼業という発想が大切ですね。

塩谷 DXを有効に活用すれば可能だと思います。ホテルでも人手が足りない朝の時間帯に高齢者がその時間帯だけ仕事ができる仕組みをつくれば、人手不足解消に一役買うことができます。

小磯 自治体における観光統計については、どう考えていますか。ビッグデータを含めて、いろいろな観光データが出てきていますが、政策ツールとしてどのように活用していけばいいでしょうか。

塩谷　観光統計の考え方は二つあって、一つはマクロなデータから市場が伸びているのか、低迷しているのかを押さえながら、経済効果という観点から、地域にどの程度の貢献をしているのか、そのために何が問題なのかを発見するための統計です。もう一つは個別の政策立案に活用するためのデータで、交通計画や観光宣伝プロモーション計画などを立てる上で、マーケットの情報を押さえるためのものです。その上で問題となるのは観光統計の精度です。多少いい加減なデータでもビッグデータで入手できるから、それでいいという考え方が出てきていて、信頼性の観点から問題だと思っています。

基本的な観光統計は今も重要で、補完的なデータとしてこれからはＤＸを活用していくのだという考え方が自然かと思います。コロナ禍で、需要の平準化とオーバーツーリズムに対する観光客の分散化という政策に注目が集まりました。例えば、ダイナミック・プライシングで需給をコントロールしていく方法があり、既に宿泊施設などで導入されています。文化財見学などでも事前予約制で需要をコントロールするような事例が増えています。ＵＳＪのエクスプレスパスや東京ディズニーランド・ディズニーシーのプライオリティパスもこれに当たります。また、混雑情報を発信して混んでいない時間帯にお客様を誘導する情報発信にＤＸを活用していくことも考えられます。リアルな繁閑状況を正しく伝えて、混雑を回避してもらうことは効果的です。

小磯　季節や時間といった要素から平準化を図るのであれば、ビッグデータは非常にわかりやすく政策立案の根拠になります。一方でマクロな統計データの正確性を高めていくことも大切です。

塩谷　コロナ前はインバウンド市場が右肩上がりだったので、統計分析よりも急増するお客様にどう対応するかが第一でした。その後はというと、コロナで統計どころではなくなってしまいました。これから統計の利活用方法を再構築していくタイミングになりますが、DXが先行しています。既存の統計データの精度を見直して、ビッグデータの短所を見極めた上で施策につなげていくべきですが、残念ながらそのような状況にはなっていない気がします。

小磯　コロナの関係では、働き方の変化と合わせて、ワーケーションにも注目が集まりました。

塩谷　今は端境期だと思います。コロナによる外出制限が終わり、社外で働くことが認められにくくなりつつあります。一方で、コロナ禍の遺産としてオンラインミーティングは当たり前になっています。ワーケーションはこれからも一定の需要があるのでしょうが、認める業種と認めない業種で差が大きい分野でもあります。しっかりマーケットを調査して対応していくことが大切でしょう。釧路市などは夏の長期滞在が好調で、先進的に取り組まれていますが、ＭＩＣＥやフィルムコミッション、スポーツ合宿の誘致などと似た要素があり、いくつかの主体が連携をして誘致に取り組む体制が必要かと思います。

小磯　オンラインミーティングが定着して、旅行者が減少する側面もあります。

塩谷　確かにオンラインのＭＩＣＥが増えて、現地で参加する人が減っています。これからの回復状況を観察する必要がありますが、現地でなければわからない見本市のようなものや、地域ならではの体験価値を高めていくという方向でしょう。リアルの価値がどこにあるのかを突き詰めていくということでもあると思います。

小磯　長らく分権の時代と言われながらもいまだに中央集権が根強く、観光政策についても補助金や交付金を持つ観光庁の影響力は大きいものがあります。二〇〇八年に観光庁が設置され、観光圏やＤＭＯなどの施策が進められていますが、地方と国の観光政策の関係についてはどのようにお考えですか。

塩谷　廃ホテルの解体・撤去など大きな財源が必要となる施策は、国の資金を使わないと難しいでしょう。ただ、定常的な観光政策では地域が自立的に動いていかなければいけないのではないかと思います。一方で、国として地域の合意形成のような公共的な役割をＤＭＯに求めるのであれば、そこに一定の補助制度は必要でしょう。地方交通機関の維持と似たようなロジックで、ある程度は補助を継続する必要はあるような気がしています。国際観光旅客税も財源になり得ると思います。ただ、自前で稼ぐ収益源を、これから地域で考えていく必要があります。例えば、ＤＭＯが関与して駐車場を運営したり、協力金制度のようなものを運用していく方法があります。

もう一つはＤＸとも関連しますが、雇用の問題です。人材調整も含めて人材派遣業のようなことをＤＭＯが担っていくことも考えられます。市町村も地域のビジョンに沿った観光人材を育成していく機能をもっと積極的に備えていく必要があると思います。自治体としてできないのであれば、それをＤＭＯが担ってもいいでしょう。先ほど話したような兼業の枠組みを成り立たせていくような仕組みを、ＤＸを使いながらできるといいだろうと考えていました。

小磯　雇用政策については、地域に密着した人材調整が求められています。働き手がいない状況ですから、これからはきめの細かいマッチングが雇用政策には必要です。

塩谷　そのような人材調整の仕組みはビジネスになります。ＤＭＯに限ったものではなく、地域の中でそれを展開できる組織が出てくるといいと感じていました。

小磯　それが結果的に地域の中における無駄のない効率的な人材配置につながっていくといいですね。これは、観光だけでなく人口減少下における地域政策全体の大切なテーマです。今日はありがとうございました。

小磯修二
×
㈱セコマ代表取締役会長
丸谷智保

地域密着による地域経済の自立戦略

丸谷　智保（まるたに　ともやす）

北海道池田町出身。慶応大学法学部卒業。1979年北海道拓殖銀行入行。1998年シティバンク、エヌ・エイ入行。顧客・人材開発本部長を経て、2007年㈱セイコーマート（現セコマ）入社、専務取締役。2008年取締役副社長、2009年代表取締役社長、2020年代表取締役会長。北海道経済同友会代表幹事、北海道ＥＵ協会会長も務める。

2023年６月21日対談

原点は卸、物流の視点

小磯 人口減少時代の地域経済戦略は、明快な処方箋がありません。一番怖いことは、域内の経済需要が縮小していくことで地域全体の投資や消費の意欲が減退していくことによる、負のスパイラルです。それを避けるためには、外から稼いで域内の需要を高めていく経済戦略を進めていくことと、稼いだお金を域内で循環させて、みんなで強い経済構造をつくり上げていくことが大切です。成長している時代は、それを意識しなくても地域経済が自然に回っていました。地域経済は開放的なので全体が縮小していく時代になると、その影響は非常に大きくなります。だからこそ、域内で強い経済構造を確立していくための戦略をみんなで共有していくことが重要です。

このような地域密着による経済の自立的な発展戦略を考えていく上で、セコマの経営戦略は、まさにそれを実践されているように感じます。今日はあらためてセコマの取り組みをお聞きしながら、人口減少下の厳しい環境のなかで、北海道が、あるいはこれからの地方が生き抜いていくための戦略とヒントを探っていきたいと思います。

消費者はセイコーマートに馴染んでいますが、前身は酒類卸の丸ヨ西尾商店と聞いています。

丸谷 セイコーマートの創成期は、丸ヨ西尾の存在が金融機関の信用創造のバックボーンになっていたという話を聞いたことがありますが、セイコーマートをここまでつくり上げてきたのは、赤尾昭彦前会長です。赤尾は丸ヨ西尾で飲食店や百貨店などの営業を担当していましたが、個人商店に酒や食料品も卸していました。卸売業を経験した人間が小売を展開することで、物流面から小売業を俯瞰するという、他のコンビニチェーンとは違った発展形態を遂げてきました。

例えば、セブンイレブンはフランチャイズ事業に着目して、小売店のフランチャイズ化を進めてきました。ローソンはダイエーが展開していたので小回りのきく小売店という感じです。ダイエー創業者の中内功さんは、小売業ではなく流通業という表現をしていました。ただ、ローソンも三菱商事が筆頭株主になったころからは、フランチャイズのオーナーを開拓するリクルーティングが中心になり、フランチャイザーとしてのロイヤリティ収入を重視してきたように思います。

アメリカで発達したフランチャイズには理論があり、ロイヤリティが三五%以上になると、フランチャイザー(本部)もフランチャイジー(加盟店)も共存共栄できなくなると言われています。当初のフランチャイズのコンビニは店舗を所有している零細企業のオーナー群でしたが、その後は本部が用意した店舗で営業し、資産運用のために地主がリースバック(不動産を売って、同時に

それを借りる）する方式が増え、地元と関係のない人がオーナーで営業するような店舗も増えてきました。

当社で長く会長を務めた赤尾は卸や物流を理解しているので、卸が取引している店を近代化してゆかなければ卸そのものの先行きに不安を覚えたようです。担当する酒屋には、酒とつまみになる乾きもの、免許があればそれにたばこや米、塩がある程度で、そんな店づくりでは先が見えています。卸のお客様である店を近代化すべきと考え、アメリカにあったモデルをいち早く研究し、一九七一年にセイコーマート一号店（当時「コンビニエンスストアはぎなか」）を札幌市北区に開店しました。セブンイレブン一号店より三年も早く、日本で現存する最も古いコンビニエンスストアです。

卸の立場で考えるのか、店舗として考えるのか、あるいはフランチャイズ事業として考えるのかによって、大きな違いがあるということでしょう。

小磯　あらためて卸や物流の視点で考えることが、北海道の経済戦略としては重要だと感じます。物流から小売を見ると、北海道という広い地域のハンディを克服し、どうやって物を運ぶのかが大きなポイントです。より効率的な物流の仕組みと生産のあり方、そして売り方をトータルに構築されてきたことが、セコマの大きな強みになっているように思います。

丸谷　売るものがなければ店は成り立ちません。商品が入荷されて、初めて店が成立します。セイコーマートも当初はフランチャイズで展開しましたが、道内で店舗を広げれば広げるほど物流が不可欠になり、早くから道内各地に物流拠点を整備しました。現在は釧路、旭川、函館、稚内、札幌、帯広など道内の主要一三カ所、本州にも三カ所の物流施設があり、独自の物流網をつくり上げてきました。

小磯　創業時の卸の立場で小売を考える発想がしっかり引き継がれているのですね。

丸谷　そこが他社との大きな違いでしょう。北海道は広いので、ある店舗から次の店舗に届けることの大変さを、酒の卸をやっていて赤尾は肌で感じていたのでしょう。

地域の生活を支えるインフラ

小磯　北海道の地方部では、セイコーマートは公共的な役割を担っているように思います。道内のほとんどの市町村に店舗があり、特に過疎化が進んでいる地方店舗の役割は、セイコーマートが「地域のインフラ」と呼ばれているように、生活に欠かせないサービスを提供しています。公共料金の窓口や金融機能、宅配受付、行政情報の提供など、公的なサービスの拠点になっています。セコマのビジネスモデルは、これからの人口減少時代において、民の新たな役割を考えていく上で先進的なモデルだと思います。

人口減少時代における地域政策のあり方は、私の研究のなかでも大きなテーマです。人口減少に向き合う都市政策、地域政策を先進国で最も早く迫られたのはドイツでした。一九九〇年に東西ドイツが統合し、旧西ドイツへの急速な人口流入が起こり、旧東ドイツは九〇年代前半から年率二〇%を超える人口減少を経験しました。その時の旧東ドイツ地域の経験は、まさにこれからの日本の地域社会を先取りしたものでした。人口が減少すれば行政サービスは縮小せざるを得ません。ドイツに出向いて調査をしてみると、商業サービスの拠点となる場所に移動バスなどが巡回して、行政サービス、金融サービス、さらに医療サービスなどが提供されていました。

今後日本の地方部でも、商業機能と公的なサービス提供の連携は欠かせないでしょう。既にセコマは官民のパートナーシップで実践しておられます。例えば、二〇一四年の初山別村での出店は地方創生の立役者として大きな話題になりました。

丸谷　当時人口一二〇〇人ほどの初山別村への出店は、村長と深い話し合いを経て、いろいろな協力をいただいて実現しました。大きな課題はパートが集まらなかったことでしたが、村の協力もあって一〇人ほどを集めることができました。

二〇一七年には紋別市上渚滑町にも出店しました。ここは人口一〇〇〇人を切る地域ですが、市長と案を練り、店内にバス待合所やイートインコーナーを兼ねたコミュニティスペースを設けるなどの工夫をして、建設費の半分を市が補助してくれました。ただ、そこまで自治体を動かした原動力は、住民の皆さんです。出店を計画していた場所が古いドライブインだったのですが、諸般の事情により諦めようと思っていました。ところが、住民の皆さんが資金を集めて建物を解体し、更地にして市に寄付してくれました。その土地を市が無償で提供してくれています。上渚滑店の売上予想も考慮し市が建築費の半分を助成してくれて、減価償却費の抑制をするとか営業時間を短縮してコストを抑えるなど、具体的にいろいろな議論を重ねた結果、出店にこぎつけました。当店の開業後、北見信金の上渚滑支店が閉店することになったので、待合室コーナーに北見信金のＡＴＭも設置しました。

上渚滑には全国的にも有名な佐藤木材工業があります。この企業は「新国立競技場」に使用されている集成材を製造しており、「オホーツク森林認証材製品」を取り扱っています。林業の中心地である上渚滑地域を残したいという、地域住民や自治体の思いが一つになったからこそ出店できたのでしょう。セイコーマートが集落を守り、まちを残していく重要な拠点になってくれていると思います。

小磯　地元住民や企業が支えてくれると心強いですね。セイコーマート出店の目安は、商圏人口が一五〇〇人くらいと聞いていましたが、いずれもそれに満たない地域への出店でした。どんな工夫をしておられるのでしょうか。

丸谷　私が大嫌いなことは、赤字覚悟で出店することです。それでは絶対に長続きしません。地域にとって一番困ることは、いつの間にか閉店してしまうことです。出店する以上は、店を続けていく努力をします。続けるためには、黒字であることが必須で、黒字化できる方法を考えます。黒字であれば、儲からなくても店は存続できます。社会貢献ではなく、黒字化して地域に貢献することが、我々のスタンスです。そのためには地域に密着した営業が重要です。例えば、イカそうめんを食べたいというおじいさんがいれば、イカそうめんを置きます。たくあんを漬けるために黄色いザラメを置いてほしいという声があれば、黄色いザラメを置きます。そうやって地域のニーズを拾っていくと、売り上げにつながっていきます。私がよくいう「マーケットが深い」という意味です。人口九〇〇人の二次元構造マーケットではなく、三次元構造のマーケットを構築していくわけです。

初山別村は二〇一四年の出店当時から比べて、人口が一五%ほど減少していますが、店の売上は伸びています。つまり人口減少で需要減になって衰退するわけではないのです。地域のマーケットに密着していれば深くなっていく円錐構造になると考えています。

小磯　地域に密着して新たなニーズを掘り起こしていくというビジネスモデルで、事業を深めていくことに醍醐味を感じていることが伝わってきます。

丸谷　東京からの取材などでは「過疎地戦略」などと言われますが、そんなものはありません。初山別村も上渚滑も、ほかの地域の出店もそうですが、何とかしたいという一心です。大切なことは、黒字にすることです。赤字では続かなくなり、かえって迷惑をかけます。少しでも黒字にするための工夫を、地域の人と自治体の協力のもとで進めています。出店する場所を無料で提供してくれることもありますし、店員やパートを探してもらうこともあります。地域の協力がないと維持できません。

地域資源を深掘りする

小磯　これからの自治体行政では、地域に活力を生む産業政策の視点を持つことが重要です。そのためにはこれまでの行政マンの感覚に加えて、民の発想が必要になってきます。セコマの取り組みや考え方のなかに、これからの産業政策を考えていく多くのヒントや知恵があるように思います。

具体的に地域を深掘りしていく手法は、どんなものなのでしょうか。

丸谷　初山別村にはハスカップがあり、フグが獲れ、キャンプ場や道北随一の望遠鏡を有する天文台があります。ドーバー海峡の白い壁を思わせるような断崖絶壁のところに温泉ホテルもあり、海の向こうに利尻島が見える素晴らしい景観もあります。そのような地域資源を発掘していけば、小さな地域振興ができます。ハスカップは地元でしか活用されていませんでしたが、当社で買い取って商品を開発しました。そんなことを進めていけば、地域の農業やほかの産業の維持につながるかもしれません。新たに財政投資をするよりも、あるものを残していくことの方が大切です。

道内には弟子屈町の『大鵬せんべい』、中標津町の『標津羊羹』、小樽市には水晶あめの『澤の露』があります。根室市の『北の勝』や釧路市の『福司』などの日本酒もあります。各地に昔からつくられていた商品がたくさんあるのですが、まだまだ地域振興の効果を引き出せると思っています。それらを少しずつ花開かせていけば、その集合体が北海道経済の大きなかたまりとして一翼を担うようになっていくと思います。

セイコーマートの店舗売上は、年間二〇〇〇億円ほどですが、商品一個当たりの平均単価は二二二円です。一個二〇〇円の商品もたくさん積み重ねていけば二〇〇〇億円の売上になっていきます。

よく地方創生のアイデアがないと聞きますが、人口一万人のまちを五万人にする魔術のようなことを考えてもアイデアは出てきません。千個しか売れなかった商品も売り続けていけば一万個になり、少しずつかたまりになっていきます。それがふるさと納税の返礼品に採用されれば、さらに増えていきます。生産量が確保できなければ当社の工場でつくるという発展方向も見えてきます。原材料が売れて、地方が潤っていくような積み重ねを少しずつでいいので進めていくべきです。今、足元にあるもので小さく展開し続けることです。足元を見つめて、今どんな政策をやるべきか。一〇年後、二〇年後には着実に人口が減るので、そこに向けてどんな準備をしておくのか。その二つの時間軸で考えなければいけません。

でも、足元には魅力のある産品があります。当社も滝上町のミントや厚真町のハスカップなどで商品を開発しました。きっと地域に何がしかの経済効果を生み出したと思います。増毛町には洋なしやさくらんぼ、留萌市には東京の大田市場に出荷しているトルコキキョウなど、道内であまり知られていない産品がたくさんあるのですが、それぞれのまちが産業の魅力をもっと活かせると思います。

小磯　地域の魅力ある産品を再発見する役割をセコマが担っています。地域の中にいると、なかなか地元のものを外に売り込んでいこうという発想にならない状況が北海道全体にあり、そこが問題のように思います。それをセコマが上手にブレークスルーしている図式になっているようです。

丸谷　出店前には心配なことも多いのですが、開店すると貢献できたという思いが生まれます。それと同時に天がギフトをくれます。その好例が初山別村のハスカップです。

ふるさと納税は、ある地域の税金を他のまちに寄贈するようなやや強引な手法ですが、中央に集中しすぎた富を地域に分配する機能を担っています。

小磯　制度設計としてはやや乱暴な面もありますが、支持している国民がいるからこそふるさと納税が続いてきていると言えます。地方の立場で制度を進化させていく方向で議論を進めていくことが大切だと思います。

丸谷　セコマブランドの牛乳は豊富町で製造していますが、豊富町のふるさと納税の返礼品にその牛乳を使ったアイスクリームがあります。アイスクリームは羽幌町で製造しているので、羽幌町の返礼品にも使われています。

小磯　ふるさと納税をきっかけに地域産業が安定し、さらに新たな企業が生まれてくれば、地域の産業活性化にもつながります。

地域産業をつなぐ役割

小磯　北海道で持続可能な安定した経済を展開していくためには、一次産業から三次産業までがつながる裾野の広い産業構造を目指していく必要があり、人口減少下は特にそれを意識していくことが重要です。それを実践しているのが、セコマだと感じます。食料生産、食品製造、物流サービス、小売という一次・二次・三次産業を巧みにつないで総力戦で展開している姿は、まさに北海道が目指すべき産業構造を体現しているようです。セコマが実践している展開手法は、将来の日本の地方圏や北海道における地域産業政策のモデルではないかと思います。川上から川下までをつないでいくための展開手法をどのように培ってこられたのでしょうか。また、今後の方向をどのように見据えておられますか。

丸谷　このモデルは赤尾会長時代からつくり上げていました。川上には農業法人や製造会社、工場があり、中ほどに物流会社、最後の川下が小売店です。この一連の流れは卸売業の発想から始まっていますが、日配品や総菜などは不可欠です。弁当や総菜のような日持ちのしない商品は本州から持ってくるわけにはいきませんから、どのコンビニでも地元に弁当工場を抱えています。当社は、弁当工場や総菜工場を整備し、その売場スペースを広げていきました。また、地域に根差した店づくりに欠かせない牛乳やバナナも置いています。メーカーからの仕入れでは、どうしても価格競争力を持てないので、自前の牛乳工場を考えていましたが、三セクだった豊富牛乳公社の経営が傾いたので、同社を引き受けました。食品製造はそのように経営難の企業の食品工場や製造工場を買い取って再生することでも増やしてきました。

ただ、考えてみるとかつての北海道には、そこら中に食品工場がありました。小さな仕出し屋は、大なり小なり弁当工場を持っていて、それなりに雇用もありました。ところが、仕出し屋が消え、駅前食堂が鉄道の廃止とともに閉店し、どんどん減っていきました。もともと食品は長い距離を動かせないので、工場は各地にあったのです。漬物工場や豆腐店もそれぞれの地域に小さな工場がありました。そのような、もともと地域産業であった工場の中から、当社で必要な大きさの企業や工場を買い取って徐々に増やして、今では豆腐や和菓子などを含め自社工場が二一もあります。

我々にはサプライチェーンの川下である店舗があるので、店に商品を出すことで工場は回ります。最初から川上から川下のサプライチェーンを考えたわけではなく、必要なものを整えていったらサプライチェーンができたという感じです。

小磯　地方における旧態型の製造業の再生、再編を実践されていくなかで、今のトータルな仕組みが徐々に構築されていったのですね。

丸谷　サプライチェーンは成り立つのですが、難しいのは運ぶことです。さらに難しいのが売ることです。でも、売り場がないので地方の工場がなくなっていったのです。大きな売り場を持っている大手に納入する競争は厳しく、赤字が積み重なって累損がたまり、倒産してしまう。大手に売場が集約されることで、地方の中小製造業が潰れていったのだと思います。

小磯　地方の物流と製造業、小売をうまく結び付けた総合産業としての強みが、大手の攻勢で衰退していった地方の小さな食品製造業を救っていったとも言えます。しかも、それが今のセコマの基盤になっているという好循環を生み出しているようです。今後は、それをどのように将来の発展に結び付けていかれるのですか。

丸谷　当社が道内のすべての工場を買い取るわけにはいきません。『大鵬せんべい』や『標津羊羹』など、一定のお客様がいる商品は根強い人気があります。その一定層の客を守っていけば、工場は何とかなります。設備投資しないとセコマに供給できないわけではないので、供給できる範囲で当社が買い取っていく形で、少しでも売り場を提供して、地域産業を残していきたいと思っています。日本酒も同じです。セコマの店舗には、北海道の酒コーナーがありますが、最初はなかなか銘柄がそろいませんでした。出荷数は少しでもいいからとお願いして受け入れていって、時間をかけて銘柄と入荷量を増やしてきましたが、酒蔵も元気を取り戻してきたと思います。こんなことをきっかけに、地域が活性化していけばいいと思っています。

当社の物流を活用して、北海道のいいものを本州に紹介していくことにも取り組んでいます。道内にはいいものやおいしいものがたくさんあるのに、発信しなければ誰にも知ってもらえません。一度知られると飛ぶように売れるのですが、大量にはつくれないので、幻の商品になって、結果的にブームが去ってしまうことがあります。少しずつでも販売を続けて、記憶に残していけば、北海道に来た観光客が買ってくれます。無理な設備投資をするのではなく、できる段階になったら設備投資をすればいいので、その間の売りつなぎのようなことも大切です。

小磯　セコマは、北海道の地域産業のトータルコンサルティングやコーディネートを担っていけるのではないでしょうか。

丸谷　鍵は物流です。農産品をそのまま売ってもいいのですが、農家が物流を担うことはできませんから、今は主に農協に出荷されています。でも、農協で選別されると食べられるものでも規格外になってしまうことがあります。規格外の農産物も物流をしっかり組み立てれば歩留まりが上がって、農家の収入も上がるはずです。例えば、メロンは畑で収穫して選別しますが、規格外になると重くて誰も物流を担ってくれません。当社では規格外のメロンがたまったら集荷に行くので、安く仕入れられます。その果汁を搾って「北海道メロンソフト」が製品化されて人気商品になっています。売り場に運ぶ物流だけでなく、集荷の物流もしっかり整えていくことが重要です。

まだ小さな動きですが、道外との物流にも挑戦しています。昼の安い便の航空貨物を活用して、松山の伊予柑を運び、帰りの便で道産のアスパラを届けました。収穫期であれば道外に持っていく産物はたくさんあります。
小磯さんがおっしゃるように、当社が本州の売り場や小売業者と引き合わせるコーディネーター役になっているのかもしれません。

小磯　これまで北海道では、食戦略の議論や取り組みが進められてきていますが、生産者と消費者の間をつなぐ機能の強化は難しい部分です。行政も深く介入できなかった分野ですが、今後は民との連携で、セコマの経験も生かしながら検討を進めていく必要があるでしょう。ところで、海外への展開は考えておられますか。

丸谷　当社では既にヨーグルトを海外に輸出していますが、今後は稚内空港から香港に豊富の牛乳を持っていきたいと思っています。

小磯　一五年ほど前の釧路公立大学時代に、日本アイ・ビー・エムや全日空と一緒に釧路の新鮮な水産物を航空機で香港やシンガポールに運ぶ「スマーター・フィッシュ・プロジェクト」に挑戦したことがあります。沖縄のエアカーゴを使えば、水揚げした翌朝にはアジアの主要都市に水産物が届きます。北海道戦略として、エアカーゴ活用は大切な戦略だと思います。

丸谷　ホタテやエビなど、高価な食材は既にたくさん輸出されていますが、牛乳などの日常的なものを運ぶことは大変です。でも、今は空いている時間帯を使えば可能です。同じようにそれを本州向けにも進めたいと思っています。

食戦略の方向

小磯　丸谷会長は北海道経済同友会でも活動をされていますが、北海道には日本の食を担っていく大事な役割が期待されています。セコマの経験から、グローバル社会のなかでの北海道の役割を見据えた食戦略をどのように考えておられますか。

また、最近は脱炭素ということで、再生可能エネルギーや次世代半導体のラピダスの動きなど、北海道に注目が集まっています。あらためて人口減少時代における食戦略の展望について、考えをお聞かせください。

丸谷　道央圏はあまり心配していません。ラピダスの動きが順調に進んでいけば大きな発展につながりますし、またそれが人を呼び込むことにつながっていくでしょう。問題は道央圏以外です。関東ベルト地帯における集中状況とまったく同じ構造のミニバージョンが、北海道にあります。道央圏以外の一番の問題は過疎化よりも、高齢化だと思っています。一番怖いことは高齢者が増えて、食べる量が減っていくことです。それが人口減少よりも速いスピードで起きてくるでしょう。

そうなると稼ぐためには、外に出ていかなければいけません。道外への移出、海外への輸出が必要です。移出だけでもマーケットは十分にあります。本州では温暖化でおいしい果物などがどんどん減り、最後の砦になるのが冷涼な北海道です。問題は運ぶことですが、これから新しい財政投資は難しいでしょう。道内の物流は、トラック輸送とフェリーが中心ですが、重要なのは港の整備です。ある程度は整備されていますが、荷役はまだまだ充実が必要です。北海道がしっかり主導して、貯蔵施設などを整備していく必要があると思います。

私がよく例に出すのが、ワインのボトリングです。個別のワイナリーでボトリングの設備を整備すると、大変な投資になります。でもボトリングは年に一回だけなので、フランスではトレーラーの荷台に自動瓶詰めラインを積載したボトリング・トラックが、ワイナリーを巡回しています。ワイン産業育成のために、北海道が率先してボトリング・トラックの投資をしたり、大規模なブドウ畑の開発をすすめたりすることで、さらなる北海道の食産業の発展が期待できます。あとはそれをどう流通させて、売るのかです。「北海道どさんこプラザ」のようなアンテナショップも必要ですが、もっと本格的につないでいく売り場探しが必要です。

フランスの有名なワイナリー地区のサンテミリオンには一〇〜二〇ヘクタールほどの小さな畑のワイナリーがたくさんあり、それらをまとめたサンテミリオン生産者組合（ＵＤＰ）があります。農家のコーポラティブで、ブドウを持っていけば、そこでワインにしてもらえ、世界中にワインを売ってくれる営業マンもいます。そこでは組合員のために必死になって販売をしています。このような事例には見習うことがあると思います。

ワインやアイスクリームのように、素材を少し加工するだけの一・五次産業のようなものも重要です。半加工製品のようなものをつくって売る組織づくりをしていけば、小さな地域でも、小さなワイナリーでも、大きな設備投資の負担がなく続けていけます。北海道にたくさんできたワイナリーもそうですが、とにかく続けていくことが第一です。シーズはあるので、あとは売り方次第のような気がしています。

小磯　昔はその機能を商社が担っていました。北海道では、農業団体に商社を凌駕するほどの力があり、農業団体の役割が大きいように思います。

丸谷　小さな農協や小さな農家などにも対応できる、プラットフォームの役割が必要です。ホクレンはトラクターの軽油や灯油など、農家が必要とするものは赤字になっても必死に供給をして農家を支えていますが、プラットフォーム機能を担っていくことが期待されていきます。サンテミリオンのUDPのような、本当に組合員のためになるような商社機能を担ってほしいと思います。

小磯　これからの経済戦略を考えていくなかで、もう一つ重要なことが働き手不足です。人口減少のなかで、それが加速しています。

丸谷　背に腹は代えられない状況になっているので、グローバルな解決策を取るしか方法はないでしょう。高齢になっても働くことはできますが、やはり力仕事は難しくなりますから、若い外国人労働者は必要です。当社も外国人を採用していますが、覚えがよく、作業効率も一・二倍くらいなので、工場を合わせて数十名を雇用しています。北海道は季節性があるので、今まで以上に自由に働きたいという人がたくさん出てくるでしょう。そういう人が北海道で必要な時に必要なだけ働けるような仕組みを整えて、不足する人員をカバーしていくしかないように思います。

当社も人材確保では地道にいろいろなことをやっています。店舗で働いている人は一万七千人ほどいますが、人数よりもどのようにシフトを埋めるかがポイントで、今は社会保険への加入を促しています。会社としてはコスト増になりますが、働いてもらう時間をいかに捻出していくかに知恵を絞っています。しっかり稼いで年金を確保したいと思う主婦が増えてくれれば、働く時間も増えるでしょうし、子どもが大きくなったから働ける時間が増えたという人も出てくるでしょう。そうすると社会保険に加入することになるので、そこをしっかり説明して、加入してもらうことで勤務時間も長くなります。一人の働く時間が増えれば、人数が増えるのと同じ効果があります。そうした工夫で社会保険の加入率がかなり高くなりました。合わせて省人化や無人化も進めています。

小磯　ニセコなどを見ていると、スキーインストラクターなどは世界中から来ています。魅力があれば、外国から人は来てくれるのだと感じます。北海道は開放的な土地柄ですから、先行的に海外から労働力を受け入れるような取り組みに挑戦していける素地は十分あると思います。

丸谷　利尻島は人口四〇〇〇人ほどで、冬は閉まっているホテルもありますが、夏になるとセイコーマートの売り上げが一・五倍くらいになり、かなりの関係人口が来ていると思います。

小磯　関係人口、交流人口を増やして、それらを労働力につなげていく発想が、これからの地域政策では大切でしょう。

ローカルが輝くために

小磯　全国的に、北海道胆振東部地震時のブラックアウトにおけるセイコーマートの対応が語り草になっています。車のバッテリーを使った非常用電源キットなどにより、停電中でも店舗の営業を続け、地域住民へのサービスを提供し、さらに温かいおにぎりを提供し続けるなど、不安のなかで人々に安堵を与えました。まさに「地域のインフラ」として機能していました。あの対応はどこから出てきたのでしょうか。

丸谷　それは地域密着です。私はそれをコーポレート・ロイヤリティではなく、「コミュニティ・ロイヤリティ」と言っています。「水や食糧を求めてお客様が店に来ているかもしれない。私が何とかしなければ」という思いです。これは、本当に地域に密着したところでしか出てこない感情でしょう。それだけ地域密着が末端にまで浸透していたことは、私も誇りに思っています。

小磯　地方の持続的な経済発展に向けた経営の哲学が、「コミュニティ・ロイヤリティ」という言葉から伝わってきます。お客様が求めているものを丁寧に提供することを実践していくなかで、地方であれば、一人ひとりが求めているものがしっかり見える。それが、地方が中央に打ち勝つ、一番大きな武器になる。この理念は、これからの地域政策においても大変重要です。

丸谷　ブラックアウトの経験から、店に駆け付けてくれるスタッフの有無が、都会と地方の大きな違いだと感じました。地方には人と人とのつながりが強く残っています。それが一番の強みではないでしょうか。

小磯　もう一つ感じるのは、生産から販売まで自社グループで経営していることで、情報の透明性があり、スピード感のある意思決定につながっている点です。そこが、これからの時代を生き抜くためのビジネスモデルでは重要でしょう。また、地方発ビジネスの強みでもあるのでしょう。デジタル化の進展も、最終的にはトップリーダーがしっかり全体を見える形にするモデルにしていくことが必要だと思います。

丸谷　社内情報はしっかり伝えていかなければいけません。先日もあるまちで、店を管理している人たちと話しましたが、彼らが聞いたことがないことや知らないことが結構ありました。知ることで彼らは店のスタッフに伝えることができますし、店内での行動修正も可能になります。なぜこんなことをやるのか、この商品はなぜできたのかなどを伝えていくことで、店舗のなかでのコミュニケーションも醸成されていきます。それは自信につながり、サービスにも反映され、顧客満足度向上にもつながっていきます。

そこが域内循環のなかでも不足しているところではないでしょうか。自信を持って、域内で回していくためには、わがまちの商品はいいものだという、誇りを持つことが大切です。いくらかのメリットがあって、そこに地元のものだという誇りが上乗せされれば、購買層はかなり広がるはずです。

小磯　地域経済にとって地元の資源、生産物を地元で消費、活用していくこと、域内でしっかりとお金を回す構造をつくり上げていくことは大変重要です。しかし、それは我慢して地元のものを使うことではありません。生産者と消費者が直接向き合うことで、より質の高い産品を生産し、地域ブランド力や競争力を高めていくことができます。地元の消費者の厳しい選択眼によって産品に磨きがかかり、その結果、域外に対する競争力を高めていくという好循環を目指していくことにつながります。

二〇〇〇年代中ごろに、私が座長となって北海道独自の産業政策として「産消協働運動」を推進したことがあります。あえて地産地消という言葉を使わなかったのは理由があります。地元のものを消費するときには、それを生産する側に質の高い商品やサービスを求めていく姿勢が必要です。生産者と消費者が緊張感のある関係を保つことで、競争力のある産業を地域で育てていくことになり、今こそ、そういう考え方が大切になってきたと感じています。

丸谷　企業は、何となく上から目線になりがちです。大手の企業が地域の食材で商品をつくると、地域名を冠して販売していますが、上から目線のように感じます。産地は全国に認知度が広がるのでありがたいのでしょうが、続けていくため、育てていくためには、同じ目線で取り組むべきです。ただ、外から来た人たちにできることと、地域にどっぷり浸かっている我々だからこそできることが、それぞれあります。

もう一つ、これだけの良い食材を得られることに対するリスペクトを忘れてはいけないと思っています。それを忘れてしまうと、育てていくのではなく、ただ売ろうとしてしまいます。売れなくなれば売るのをやめて、新しい商品にすり替えていく。これが地域にとっては、一番怖いことです。始めた以上はずっと一緒になって、少しずつでもいいから育てていく。売るのではなく、育てる商品づくりです。そういう思いで、地域の方と、地域から得られる良質な原材料とで、これからもやっていきたいと思います。

小磯　以前、丸谷会長を取材した雑誌で、「セコマの資本論」という記事を読み、印象に残っています。ライターがなぜセコマに惹かれたのか。彼はセコマが実践している経営理論が、社会変革に通じると感じたのでしょう。私も、今日の対談ではこれからの地方の変革に向けた地域政策の構築に向けて共感するところが多く、たくさんのヒントもいただきました。グローバルな時代においてこそローカルな価値が輝きを持つ時代だと再認識しました。セコマの挑戦を新しい地域経済の発展理論として、また新しい社会変革の論理として、どのように構築していけばいいのか、あらためて考えていきたいと思います。今日はありがとうございました。

小磯修二
×
北海道ガス㈱代表取締役会長
大槻 博

地域のエネルギー戦略

大槻　博（おおつき ひろし）

1972年北海道大学工学部卒業後、北海道ガス㈱入社。1998年取締役エネルギー営業部長、2000年常務取締役、2002年代表取締役副社長、2008年代表取締役社長・社長執行役員・営業本部長、2015年代表取締役社長・社長執行役員・エネルギーサービス事業本部長、2021年代表取締役社長・社長執行役員・監査部・リスク管理担当、2022年から代表取締役会長。

2023年 5 月12日対談

省エネと地域密着

小磯　いろいろな意味でエネルギーへの関心が高まってきている時代です。国際的には脱炭素に向けた本格的な動きが加速し、地域エネルギーとしての再生可能エネルギーへのシフトが着実に進んできています。一方で、世界的な経済安全保障をめぐる環境変化が出現し、エネルギー資源の確保や価格高騰など不安定な動きが懸念される状況が出てきました。また、国内では厳しい人口減少時代を生き抜いていくために、地域政策として、どのようにエネルギーに向き合うのかが問われています。そこでは、地域に根付いた地域産業としてエネルギー産業を幅広く育て、発展させていくという視点が大切になってきています。地域としての独自のエネルギー戦略が求められているとも言えるでしょう。

今日は、北海道ガス（以下、北ガス）の取り組みをお聞きするとともに、脱炭素やＤＸの潮流の下でのこれからの北海道のエネルギー戦略、さらに地域全体の発展戦略について幅広く意見交換をしていきたいと思っています。

私は二〇二二年に社外取締役に就任しましたが、あらためて北ガスは北海道における地域エネルギー企業として、独自の挑戦を続けていることを強く感じています。省エネを前面に出して、スマートなエネルギーシステムへの転換によりＤＸ戦略を構築していくとともに、一方では道内市町村と連携して地域密着の展開を図るなど、これからの地域エネルギー政策を考察していく上でも、時代を先取りした大事な取り組みです。そこには大槻会長の長期的な視野での経営哲学と戦略があるように思います。

大槻　北ガスの経営戦略を考える上では、エネルギーを通じて、北海道、そして地域をどのように支えていけるのか、どんな役割を担えるのかということが常に念頭にあります。

小磯　大槻会長は、長期的な視野で大局的なものの見方を非常に大切にしている経営者だと感じます。さらに、変化を前向きなチャンスとして受け止めていく戦略家でもあります。私は、若いころに国土計画や地域開発計画という長期のプランニングに携わりましたが、そこで大局的な洞察力の重要性を痛感していたので、大いに共感するところがあります。

経営者としてどのような見通しと戦略で対応してこられたのか。そこに、北海道のこれからの地域戦略を考えていくヒント、手掛かりがあるという思いでお話を進めていきます。歴史的な流れで理解を深めていきたいと思いますので、まず、大槻会長が北ガスの経営に関心を持たれてからの経過をお聞きします。

大槻　私の経営戦略の原点は一九九〇年に本格的に始まった「北ガス・アイデンティティ運動」（ＫＩ運動）です。当時、私は四十そこそこで、事業領域拡大分科会の一員として、日本エネルギー経済研究所の資料や環境に関する資料を読み漁りました。当時から大気中の二酸化炭素濃度上昇が指摘されていて、エネルギーは資源制約と環境制約の時代になるだろうという結論を得ました。それを見据えてどのように事業を組み立てていくべきかという考え方は、そのころから頭に刻まれていたと思います。

役員に就任してからは、「これからは環境問題を抜きに経営は成り立たない。省エネが重要だ」と言い続けてきました。日本のエネルギーはほとんどが輸入です。野放図にエネルギーを使い続けていくと経済的負担が大きくなり、お金も国外に流出します。省エネに優れ環境にやさしい天然ガスを普及拡大することが当社の社会的使命だと考えました。

小磯　道内では一九八〇年代後半から、勇払ガス田への期待が高まっていました。

大槻　「石油資源開発株式会社」が勇払ガス田を開発し、国産の天然ガスとして商業化が可能という見通しが立ったので、一九九三年に同社と「基本合意書」を締結し、一九九六年五月から天然ガス転換を進めました。

小磯　二〇〇五年には北見市と「ガス事業譲渡契約」を締結され、市営事業で展開していたガス事業を引き継いでいます。今振り返ってみると、ガス事業の民営化の先行事例でしたが、大槻会長が社長に就任された二〇〇八年の前年に大きなガス漏れ事故がありました。

大槻　北見の事故があった二〇〇七年一月は副社長でしたが、対策本部長としてマスコミ対応を含めて事故の対応に当たりました。事故後は、全社員に「起きたことを悔いても仕方がない。この経験をどう生かすのかが大切だ」ということを伝えてきました。現場の社員は寝ずに走り回っていたので、本当に大変でしたが、今でも北見市の関係者や市民から、あの時は一生懸命やってくれたとお声がけいただくことがあります。

小磯 当時、私は釧路にいましたが、北見市から事業を引き継いだ直後だったにも関わらず、北ガスの皆さんは責任感を持って非常に丁寧に対応されていたのが印象に残っています。それが会社の評価を高めていったようにも感じます。

大槻 事故直後は本当に大変でしたが、今こそ北見の拠点が生きてきたと感じます。エネルギーの地産地消やレジリエンスを考えると、北海道こそ分散型社会を目指さなければいけないと考えています。今の北見支店がなければ、上士幌町など地方自治体との連携にもつながっていなかったように思います。

小磯 二〇〇八年に発表された中期経営計画「Progress2020」、さらに新しい現在の経営計画「Challenge2030」を見ると、目指す方向が明確で、具体的な目標が明示されています。目標が共有できる点で、大変わかりやすい経営計画ですね。

大槻 社員を動機付けるためには、具体的なビジョンであるべきだと考えています。理念的なビジョンだと「社長はこんなことを言っていた」で終わってしまいます。いつまでにこれだけはやるという定量的な目標を示すことで動機付けし、実践してもらうのです。

私はもともと技術畑ですが営業部門が長く、そこの分野では目標を達成するためのプロセスを含めて示しています。省エネ推進の仕組み、家庭用分野での天然ガスの普及拡大、そのための技術・商品開発、施工部門の強化、チャネル再編や営業組織の再編強化、要員などを具体的に示し、そしてできるぞと思わせる。

達成できなかった目標もあるので偉そうなことは言えませんが、社員を動機付けるだけの具体的なビジョンかどうかというこだわりはあります。「Progress2020」は事故後の少し落ち着いた二〇〇七年四月ごろ、社長から次の事業計画をまとめてくれと指示されたものです。北見の事故のダメージからどう立て直すか、どう社員の目線を上げるかということから、事故に向き合い、安全・安心の確立と事業の成長拡大の両輪で経営を進めていくことを打ち出しました。二〇二〇年を目指す長期計画にしたのは、未来は明るいぞと見せるためです。そのために策定後は、全社説明に回りました。

翌年、会長から指名され、社長を引き受けることになったのですが、この巡回は社長退任まで続け、途中からグループ会社も含め一四年間で三三〇回ほどになりました。

当社は小さな会社ですが、公益事業なので倒産しないだろうし、楽なものだろうと思っている方もいます。社会から認めてもらうためには、安全・安心を大前提に、エネルギーの安定供給と環境保全、そして社会貢献がそろわなければいけません。当社の存在価値を認めてもらうこと、快適な暮らしを支えるエネルギーである天然ガスの良さを伝えること、そして省エネにも取り組んでと、当然ですが一からスタートし直すような気持ちで社長に就任しました。

小磯　北ガスでは中長期のビジョン、経営戦略が社員にもグループ会社にも共有されていることを感じます。

大槻　先ほどお話ししたように、年に一度はグループ会社を含めた全職場を巡回し、今北ガスグループはどういう位置にいて、事業計画はどうなっているのか、次はどんなことを考えているのか、そしてマスコミに公表した内容の意味などをすべて説明しています。また北ガスとグループ会社はフラットな関係で、組織運営やルールでおかしいと思うことは指摘してもらうように伝えています。我々の事業は現場が財産です。年に一度だけでも、現場の職員が経営トップと向き合う機会があることは、組織運営では非常に大事なことと思います。一つの不祥事、事故で企業がダメになる時代ですから。

小磯　二〇一二年には石狩湾新港で北海道唯一の大型ＬＮＧ輸入基地「石狩ＬＮＧ基地」が操業を開始しました。石狩湾新港地域の開発、推進にとっても画期的な取り組みですが、この大事業も社長時代に決断されています。

大槻　勇払ガス田は自社設備ではなかったので、供給が途絶えることも想定しなければいけませんし、導管の輸送能力からもいずれは手を打つ必要がありました。以前から、石狩にＬＮＧ基地を整備する検討は進めていたので、実行するならば安定供給の面からも早い方がいいだろうと決断しました。早く取りかかって、早く稼働させて、償却するのが経営では重要と考えています。建設計画では二〇一三年秋の稼働でしたが、当初休止予定の冬期間も工程に組み込み、通年工事体制として、工期を約一年前倒ししました。

結果、この前倒しが非常に大きかった。あまり知られていませんが、着工間もなく、勇払の生産量が減衰し始め、札幌・小樽圏で供給不良となるギリギリのところでした。

社長就任後は北見の事故への対応、営業体制の立て直し、勇払への対応、ＬＮＧ基地建設とあっという間に過ぎましたが、常に社員に伝えていたのは、いかに公益事業から脱皮するかということで、普通の企業になろうということでした。総括原価方式で原価に報酬率を上乗せしてガス料金を回収する仕組みは、自由化の流れからいっても許されないだろうと考えていました。

分散型社会の構築

小磯　北海道のような広い地域でガス事業を展開していくことは大変難しいと思います。

大槻　電力事業は離島でも過疎地でも全道ユニバーサルなサービスを提供しなければなりませんから、その大変さに比べると、都市の需要密度の高い地域を中心にガス管を敷設し、まちの規模や成長、衰退などに合わせて、アジャストできるフレキシビリティも多少あると言えますが、人口減少と高齢化などで非常に厳しい時代に入りました。また、ガス事業は熱分野の事業なので、冬に需要が偏り非常に設備効率が悪い。そして人口減少、高齢化、建物・機器の高性能化、省エネの進展など、これからは量としての成長は難しいので、量に依存しない事業にいかにイノベーションを起こせるかでしょう。その答えとなるのはＤＸとカーボンニュートラルだと思います。

小磯　北海道胆振東部地震ではブラックアウトがありました。あの経験をどのように生かしていくべきでしょう。

大槻　当社は以前から分散型エネルギーを標榜していましたが、こんなことが起きるのだという驚きとともに、分散型エネルギーの考え方は間違いないと確信しました。北海道こそ分散型エネルギーを広げて、災害に強く、かつ地産地消で、地域にあるいろいろなエネルギー資源を活用していくことが大切だと再認識しました。

小磯　ブラックアウトで、道東の酪農家が搾乳をすることさえできなくなる状況を目の当たりにして、私も分散型エネルギーを展開していくことの必要性を痛感しました。

大槻　今はエネルギーに限らず、社会全体が分散型にどう再構築できるのかを問われているように思います。北海道は札幌に、日本は東京に、どんどん人口が集中しています。国土の健全な維持や究極的な防衛を考えると、地方から人がいなくなることは避けなければなりません。北海道は農業と観光と言いながらも、人がどんどんいなくなっています。後継者がいなければ、農業も観光も成り立ちません。それぞれの地域で経済的に自立して、農業や観光で食べていけるような体制づくりが必要です。そのためには、小さなことかもしれませんが、都市並みの快適性とコストで暮らせるようなエネルギー供給を考えていくことが、我々の役割だと考えています。

北海道のカーボンニュートラルでは、多様な資源に恵まれた地方で取り組んだ余剰分を札幌への供給や、クレジット化してオフセットにするなど、地方にこそ戦略的な意義があると考えています。地方におけるカーボンニュートラルの取り組みは、札幌よりも容易にできるはずです。仕組みをうまくつくれば地域ブランドになり、自立、分散の基盤になります。そこで、当社の経営企画本部の環境・地域共創推進部に、道内の自治体を回って、悩みごとや困りごとを聞いてくるように指示を出しています。エネルギーに絞ってしまうと、枠が狭まってしまうので、我々で何か役に立てることがないかを聞いて一緒に考えましょうというスタンスで進めています。最初はビジネス抜きで、そこからネットワークがつながっていけばいいと思っています。

小磯 ブラックアウトは集中の効率性を追い求めたことによって、脆弱性を露呈した出来事でした。過度の集中を避け、分散に向けた地域社会システムを構築していくためには、分散による効率低下をカバーしていくことが必要です。そのためには、デジタル技術を駆使しながら、地域が主体的に取り組んでいけるようにしっかり支援していく民間企業の役割が重要になってきます。

大槻　地方では人材や経験といったリソースが少なく、何かをやりたくてもできないと聞きます。まずは、そこをサポートしていこうと思っています。

DXの推進

小磯　電力自由化が始まって、北ガスはいち早く電力小売事業に参入しました。

大槻　電力の全面自由化は願ってもないチャンスでした。ガスのカテゴリーだけでは企業の成長にも限界があります。省エネを推進していくためにも熱や電気などのトータルな仕組みで考えていく必要があります。事業的にもガスはインフラ整備と人口密度の関係になりますから、札幌以外での広がりは期待できません。電気が加わることで総合エネルギーサービス事業者として、省エネにも取り組めます。我々が培ってきた熱の知見や技術を駆使することで、幅広い社会貢献ができると考えました。そこで、東京ガス、大阪ガスに次いで電力小売事業に名乗りを上げて発電所の整備も表明しました。

　実は、ブラックアウトの時はちょうど石狩発電所の試運転をしていました。発電機メーカーのスタッフが張り付いていたので、試運転中の電気を市場に供給しました。あの時は、発電所をつくってあらためてよかったと実感しました。

小磯　電力自由化のタイミングが、発電事業の安定的な基盤を整えるきっかけにもなったわけですね。

大槻　電力小売業に参入した企業のほとんどは、需給バランスの調整を外注していると思います。外注するとブラックボックス化して収益力も落ちるので当社はすべて自前です。それが強みの一つです。余剰電気を売買するので、そのトレーディングも収益につながります。単に発電して売るのではなく、市況を見ながら調達したり、余剰分を卸したりして、それが収益力につながっています。これも貴重な経験で、これからのカーボンニュートラルに向けて想定される水素の売買などにも役立つでしょう。需要予測をしながら、需給バランスも考えて、どのエネルギーで電力を賄うのか。これまではガスと電気だけでしたが、電気のなかにも太陽光、風力、火力などがあり、さらにクレジットでオフセットするものなど、すべてを組み合わせていくことになります。

これらのトレーディング業務で不可欠なのがＤＸです。ＤＸがなければ、アナログ的な大まかな予測で高く電気を買ってしまうこともあるでしょうし、需要予測も不安定になります。時間ごとの需要予測ができれば、当社で準備できるものと外から買うエネルギーを組み合わせた最適解がわかります。

小磯　公益事業という組織のなかで、ＤＸの必要性を理解してもらうのは大変なご苦労があったと思います。

大槻　資金や経営情報だけでなく、需要家の情報もデジタル化してプラットフォームに集約できれば、エネルギー消費の変化もわかるようになります。建物はビルか一軒家なのか、築年数はどのくらいか、気温の変化で消費がどのように変化するか。これらの情報が蓄積されていれば､需要予測の精度がかなり高くなります。それをもとに調達と供給を推測できます。

そこに行動変容などを加えれば、最適なエネルギーマネジメントが可能になります。もし、そこに齟齬が生じて需給バランスが合わなくなっても、ピークカットやピークシフトに協力してもらう仕組みができれば、調達や設備投資に億円単位の費用や投資をかけるよりはるかに経済合理性があります。そんな世界がつくれないかと考えています。

二〇三〇年にはそのスタートラインに立ちたいと考えています。それ以降は、そのプラットフォームを活用した事業を組み立てていくような将来像を描いています。それぞれのお宅のエネルギー版住民基本台帳を整備するようなイメージです。その台帳を地方のまちで展開できれば、そこに住民サービス情報も付加していくことができます。エネルギー消費も見える化できますし、地方で調達できる地産地消のエネルギーを組み合わせていけば、カーボンニュートラルを実現できる仕組みも整うだろうという将来像を描いています。

小磯　そこまでのデジタル戦略に取り組む原点はどこにあったのでしょうか。

大槻　初めから具体的な考えがあったわけではありません。雑誌のインタビュー記事で、著名な経営者が「我が社は日次決算のシステムを構築した」と答えていたのが目に入り、これをエネルギー事業でやるとすると何が必要かを考えました。すべての業務、情報をデジタルで可視化し、それらを動かすプラットフォームが必須との結論に帰着しました。あれこれ考えていくうちに、このプラットフォームがあれば、地方の自治体のオペレーションもできるのではないかと考えました。それなら需要家情報も住民基本台帳を意識してつくってみてはどうかという発想です。

日本は人口減少で、いずれは事業も頭打ちになります。プラットフォームの機能をパッケージ化できれば、省エネやエリアマネジメントビジネスができるし、省エネビジネスで海外にも展開できると若い社員には話しています。

小磯　外に目を向けておくことは大切です。人口減少による地域経済の問題は、域内の経済需要の減少だけでなく、それによって消費、投資が縮小していく負のスパイラルです。しっかり外の需要を取り込んでいく戦略を持たないと、地域も企業も活力は萎えてしまいます。北ガスのＤＸの取り組みは、これから経済発展していく海外の途上国でも貴重なシステムになると思います。

大槻　我々の強みは足元に数十万軒のお客様がいて、そのフィールドで実践して検証できることです。これは海外に出ても同じです。ホームグラウンドでやったことを海外に持っていけば、違いも検証できます。地域性や民族性などのいろいろなパラメータを入れれば、なぜ違いが出るかも分析できます。海外の経験を国内に持ち込めば、新たな事業や技術が展開できるかもしれません。そう考えれば、ビジネスの可能性は無限です。

小磯　途上国への国際技術協力のスキームで試験的に取り組む方法もあります。若い職員にとっても活動の舞台が世界に広がれば夢を持てます。ぜひ前向きに取り組んでほしいです。

大槻　エネルギー企業の海外進出は多くが資源開発分野ですが、当社はＤＸ、エネルギーマネジメントの分野で参入して、ニッチな世界のなかでトップになりたいと思っています。

我慢しない、快適な省エネ

小磯　省エネ推進ではさまざまな商品を開発しています。戸建住宅の暖房を自動でコントロールしたり、外出先からスマホで暖房をオンにしたりできる、「ＥＭＩＮＥＬ（エミネル）」の発想はどこから出てきたのですか。

大槻　原点は半世紀前のドイツの暖房システムです。私が入社したころはセントラルヒーティングの黎明期で、ドイツの暖房・給湯機器大手バイラント社の機器を輸入して販売していました。そのコントロールシステムに、外気温に合わせて室内温感を調整する外気補償や夜間にエネルギー消費を低減するナイトセットバック等の機能がありました。家の断熱性能は非常に高くなってきましたが、いまだに日本はトータルな省エネシステムがありません。ドイツの暖房システムを現代版にブラッシュアップして北ガスとして作り替えたものが「ＥＭＩＮＥＬ」です。お客様が省エネを実感できるように、スマホやタブレットで操作ができるようにして、どれだけ省エネになるかを見える化しています。

最終的には、この仕組みをお客様との双方向のコミュニケーションツールにしたいと考えています。先ほどお話したように、エネルギーの調達量が足りない時や調達費が高騰した時に、消費量を抑えてもらい、ピークカットやピークシフトの協力をお願いすることになれば、「EMINEL」がそのツールになるわけです。将来的にはAIを活用して、ダイナミック・プライシングのように、時間別、お客様別に料金設定を変えるようなことも考えられます。これらのツールがあれば、エネルギー消費の削減や脱炭素にも貢献できるはずです。

小磯　省エネは一人ひとりが行動して、手応えを感じる仕組みにしていかないとなかなか進みません。

大槻　我慢しない、快適な省エネが目標です。

小磯　たくさん売って利益を上げる経営から転換して、省エネを推進するなかで、将来の事業の芽を出していくという戦略ですね。

大槻　どの業界も間違いなく規模の経済では立ちゆかなくなっていきます。エネルギー企業も人口減少で契約件数は減るし、省エネ対策、機器や建物の性能向上、お客様の環境意識の高まりなどで、単位当たりの消費量も減っていくでしょう。でも、使用量が減って収益が出ないから値上げをしますという経営では、理解が得られません。収益を上げて事業として継続し、かつ環境や地域に貢献していくためには、コストオンするのではなく、DXを活用して、どのようなコスト構造に変革できるかだと思います。

今は現場作業も人がやっていますが、いずれは人材確保も難しくなります。人がやっていた作業をいかに省力化できるかを考えると、ＤＸを持ち込まないと無理です。そこにいち早く取り組んで、プラットフォームを活用してエネルギーの価値を上げたり、違った付加価値を生み出したりして、相乗効果のある事業展開ができると思います。まだ具体的な姿は見えていませんが、そんなイメージを持っています。

公益事業だから、そんなことを考える必要はないでしょうとよく言われますが、そんなことはありません。適切な経営情報をいかに持っているかで正しい判断ができます。ＤＸを活用したデータマイニング（収集したデータから傾向や関連性を見出す分析手法）もその一つです。ビッグデータからどんな姿が見えてくるのか。科学的な情報を一つの柱として確保しておくことは非常に大切です。これからは、経営も科学的な視点を組み込んで進めていく時代だと思います。

地域に貢献できる企業

小磯　新しい経営計画「Challenge2030」には、次世代プラットフォームの構築を核にして新しい社会に対応していく姿が描かれています。これは個別の家庭のデータだけでなく、例えば市町村のような地域単位でも展開していくイメージでしょうか。

大槻　家庭も、事業も、地域も含めています。賛同してくれるのであれば、個人も法人も地域も、誰もが対象です。プラットフォームを収益源に活用していくイメージなので、どのような連携ができるのかがポイントです。我々インフラ事業者は決済手段もありますから、お客様のニーズを組み込んでいけば、医療や宅配ビジネスなどとも連携ができます。

例えば、「ＥＭＩＮＥＬ」は人感センサーが付いているので、在宅か不在かがわかります。外出モード時に人間の気配があれば、提携先の警備会社が出動するなど簡易な警備も可能です。そのように当社のエネルギーを利用しているお客様に、安全・安心を付加するサービスの事業展開も考えられます。

小磯　地方は人口減少で、人手のかかるサービスの提供が次第に難しくなります。行政サービスのデジタル化は必須ですが、現実にはなかなか進んでいません。私もいくつかの自治体で地方創生に向けた政策づくりのお手伝いをしていますが、デジタル化については、政府のかけ声とは裏腹に、自治体も人員が縮小していくなかで、自前で進めていくのが現実には厳しい状況です。北ガスが進めているプラットフォームは、将来の行政サービスの姿を考えると、かなり自治体に生かせる部分があり、またそこを意識して取り組まれることが大切だと思います。

大槻　我々が持っているツールを生かせば、脱炭素社会を目指す事業もこれまでの経験をもとに積極的に取り組むことができると思います。そこに住民サービスを組み込んで、双方向なサービスを展開できるような、そんな地域のマネジメントや自治体のお手伝いができないだろうかと考えています。

小磯　人口減少時代は、地方自治体の力は弱くなりますが、生活する上で不可欠なサービスは残ります。そこでは民の知恵や力を活用して、より効率的にサービスを提供していくことが必要です。デジタル技術を使った地域のマネジメントシステムをソフトな社会インフラとして提供していくことを目指してほしいと思います。

また、科学的な分析を目指したデータを活用した地域政策づくりのためには、デジタル技術が欠かせませんが、北ガスの取り組みはその方向に沿ったものだと感じます。

大槻　法律や規制など、いろいろな壁はあると思いますが、それが展開できれば、北海道の人口減少、高齢化、地域間格差の緩衝装置になり得ることができ、我々が取り組む意味もあります。実現できれば社名に北海道が付いているように、真の意味での地域企業になれるでしょう。これまではガスという公益事業における社会の一員でしたが、これからは総合エネルギーサービス企業であり、かつ高齢化、人口減少の地域を支えていけるような事業者になっていくことが我々の役割だと思っています。

二〇二一年に南富良野町にある森林を取得しましたが、森林を適切に保有・管理することで自然環境保全に貢献し、森林の二酸化炭素吸収価値をクレジット化することもできるようになります。森林管理などで少しでも地域に資金が落ちる仕組みができれば、経済的な関係も深めていくことができます。

我々の基本はインフラ事業ですから、自治体と重なる部分が多いのです。自治体に代わって何かやろうという大それたことは考えていませんが、何かお手伝いできることがあれば積極的に関わっていきたいと思っています。

昔は札幌への集中度は今ほどでなかったですし、炭鉱はじめ遠洋漁業の釧路や函館など、大きな産業都市が結構ありました。今は札幌圏への人口集中や地方の人口減少、高齢化の進展など、いびつな構造になっていて、地方の活力も落ちています。

そんな状況でもエネルギーや食が安定的に供給されて、安心して生活できるサービスがあり、そこに教育や医療もしっかりしていれば、リモートで仕事もできます。そこから、もう一度、分散型都市の広がりができていくのではないかと思います。我々は、都市をつくることはできませんが、エネルギーでその基盤をつくって、社会に役立つ企業になれるのではないかと思っています。どうせやるなら大きなミッションに向かっていきたいのです。

小磯　北ガスでは家庭単位でエネルギー消費量を見える化していますが、それがこれからのエネルギー政策の一つのモデルになるように思います。また、それぞれの家庭のなかに現場が入り込んでいることも財産です。それが将来のデジタル戦略にもつながります。考えてみると、ガス事業者は、安全確認のために定期的な検査があるので、自宅に直接入って、コミュニケーションをとっています。そこで培われた信頼関係は大切なビジネス資産で、そこをしっかり醸成して、その強みを次の事業展開に生かしていく発想が重要です。

大槻　デジタル化してもお客様との関係は変わりません。いかにデジタルを使うかが大切で、現場の人間力も試されます。信頼関係を失わず、アナログ的な人間力を磨いて、いかにデジタルを生かしていくのか。その強みを生かしていけば、将来につながっていくと思っています。

小磯　北ガスでは、上士幌町や南富良野町など多くの地域と連携協定を結んで地域支援を進めていますが、そこで地域と関わった人材を育てていくことが企業戦略にもつながります。自治体と密に連携していけば、地域の事情や自治体政策にも詳しくなり、その地域に何ができるかという視野の広がりを持った人材が育っていくことにつながります。

大槻　道内各地に行ってみると、地域の厳しさや困っていること、これから出てくるだろう課題や問題がよく見えてきます。当社が提案することと、地域がやろうとしていることのギャップも理解できるようになって、どうやってそこを埋めていくかも見えてきます。今、地方を回っている社員たちが成長した時、さらに深い地域連携を進めていく上で力を発揮してくれるだろうと期待しています。

森林資源の可能性

小磯　北海道は資源に恵まれていますが、まだまだ活用されていない資源もあります。例えば、森林はこれからの北海道戦略として有効な資源です。

大槻　北海道には森林のほかにも水、エネルギーも太陽光や風力など、たくさんの資源があります。ただ、それを各地でどのように生かし切れるものにしていくのかが重要です。そのまま本州に送ってしまえばビジネスにはなりません。道外企業が何かつくっても、搾取されてしまうので、地域には何も残りません。風車があるだけ、太陽光パネルがあるだけでは駄目で、それを地域でどのように使って、地域の活性化やまちづくりにつなげていくかをしっかり考えなければいけません。

森林資源は五〇年サイクルで製材にして、二酸化炭素をたっぷり吸収した木材として、工務店やハウスメーカーに供給するほか、できるだけ活用してクレジット化にも取り組んでいくことが考えられます。今のままでは事業になりませんが、森林整備を二四時間働いてくれるロボットで省力化することが考えられます。現在、間伐材の利用は十分ではありませんし、一部を大きな発電所に輸送して燃やしていますが、小型のバイオマス発電を導入できれば、間伐材を最適な場所で利用することができます。規模が小さくなれば経済効率が悪いという常識に反して、それを打ち破る技術やアイデアがないかと考えています。そういう技術やアイデアは北海道大学などと共同で研究、事業化するか、どこかの企業と連携してできないかと考えています。ロボットを使えば、先端的な取り組みになり、人材育成や雇用にもつながります。それに太陽光や風力、水素などを組み合わせた研究も行っていけば、もっと広がります。

電気も地産地消です。地元でつくった電気を札幌や本州に送るのではなく、地域で消費していくような自立分散型社会を目指していくべきだと思います。

何とか収益が出る企業に成長できたので、そのような将来に向けた取り組みには人や資金を割いて、基盤づくりをしていきたいと思っています。そして、それが農業や観光などを支えられるような仕組みになれば、それも一つの観光資源になるように思います。そんなことが実現できればうれしく思います。

小磯　これまで北海道の林業は、単に木を切って売るだけでした。安い外材が入ってきて成り立たなくなって、結果的に補助金で支える構造が長く続き、森林組合や事業者は補助金をいかに使うかという後ろ向きの経営になり、悪循環になっています。

ただ、昨今は道産材への関心が高くなってきており、道産トドマツなどは欧州のホワイトウッドに匹敵する品質があり、道外でＣＬＴにして利益を上げている企業もあります。

大切なことは、道内の資源をうまく活用して、複雑な林産業の工程を地域の中で連携しながら、地域産業としてトータルで担う仕組みづくりでしょう。原材料は豊富にあります。これまではトータルな地域産業戦略がないために、個別ばらばらにやっていたので、原材料も安く買い取られていました。マネジメントシステムを含めた、トータルなコーディネートが重要です。そこに必要な技術と、道内企業を集約しながら進めていく仕掛けが求められていると思います。

大槻　例えば、自前の衛星を打ち上げれば、衛星でインフラ監視ができるようになります。取得した南富良野町の森林を衛星で監視、分析すれば、経年変化もわかります。さらにロボットを導入できれば、新しい事業体に変えていくことも可能だと思います。

小磯　林業政策もかなり制度改正が進んでいて、民間が参入するコンセッションも始まっています。国有林を民が主体的に管理する仕組みで、北海道は少し遅れ気味でしたが、十勝地方で北欧型のデジタル技術を使った林産管理システムを応用するなど、芽は出てきているので、それらをうまく束ねてトータルな仕組みで展開するような動きが出てくると面白くなってくるでしょう。

大槻　当社の南富良野町の森林は一四〇ヘクタールほどですが、もっと広げたいと思っています。まだ我々は森林経営の知見やノウハウがないので、本格的に森林資源を活用していくためには、さらにいくつかの段階を経て、人や資金を投資しなければいけないと思っています。

地域エネルギー企業の先駆的挑戦

小磯　今日は、大槻会長が経営者としてどのような時代認識と将来の見通しを持ち、それにどのような戦略で対応してこられたのかをお聞きして、そこから北海道の発展戦略を考えていく手掛かりを得たいという思いで進めてきましたが、多くの示唆をいただきました。「省エネなくして脱炭素は進まない」という考えは、急速に進む人口減少で消費のパイが小さくなっていく時代を生き抜いていく上での大切な視点です。今なお規模拡大の思考になりがちな社会への警鐘でもあるでしょう。また、集中型ではなく分散型社会の持続的な地域社会システムを、デジタル技術を駆使しながら構築していく手法は、サーキュラーエコノミーなど、欧州で注目されてきている最新の持続発展に向けた政策モデルに通じるものがあると感じます。「地域政策の新たな潮流を探る」上で、大変参考になりました。

大槻　いかに社会から必要とされる企業になれるかという思いだけです。単なるガス会社だと、気が付いた時にはどんどん縮小するだけの企業になっているかもしれません。潰れもしないけれど夢もないような企業になってしまえば、新規採用の募集をしても誰も応募してこないでしょう。

我々はエネルギー会社ですが、エネルギーは定義が広いので、ガスの世界だけで展開していても広がりがありません。電気や熱、省エネだってエネルギーの一つです。産業や人の生活を支えるエネルギーを安定的に、かつ安価で環境負荷が小さく、あるいはゼロのものを供給できる仕組みを考えていくことが我々の使命です。昔はガス、電力、熱と事業三法があって分かれていましたが、今の時代は、それでは非常に非効率で、三法が一体となったエネルギーシステム改革が進んでいます。そういう意味では、我々がエネルギーとは何かを定義して、自分たちでつくっていけばいいと思っています。今の若者にも、そんなふうに大胆に殻を破って発想してほしいと期待しています。古いものをすべて捨てるという意味ではありません。古くてもいいものは残しながら、それと新しいものを組み合わせて、何かを生み出していくのです。

小磯　大槻会長のような既成の殻を打ち破った発想で地域についても議論していくことが今こそ北海道に求められていると思います。今日はありがとうございました。

小磯修二 × 東京大学大学院教授 中嶋康博

日本の食、農業を支える地方の役割

中嶋　康博（なかしま やすひろ）

1983年東京大学農学部卒業、1985年同大学大学院農学系研究科農業経済学専攻修士課程修了、1989年博士課程修了（農学博士）。1989年日本学術振興会特別研究員。1990年東京大学農学部助手、1996年同大学院農学生命科学研究科助教授、2007年准教授を経て、2012年教授。2023年より農学生命科学研究科長・農学部長。専門は農業経済学、フードシステム論。食料・農業・農村政策審議会委員のほか、国土審議会特別委員（北海道開発分科会、半島振興対策部会）を務めている。

2023年10月13日対談

戦後の農業政策と地域政策

小磯　中嶋先生とは国土審議会北海道開発分科会で長く一緒に活動してきましたが、農業政策の専門家の立場から、北海道に対して、これまで貴重な助言をいただきました。今日は、農業政策の視点から、これからの地方の役割、さらにそこでの北海道の戦略についてお聞きしたいと思います。

戦後の農業政策は、食料生産を担う産業政策と、それを支える農業者の所得向上を目指した農業基本法を軸に進められてきましたが、二〇世紀の最後の年に食料・農業・農村基本法への改正があり、食料と農業に加えて、農村という農業を支える地域のあり方に踏み込んだ、地域政策と産業政策としての農業政策を融合させた流れが出てきたように感じています。

中嶋先生は、戦後の農業政策と地域の関係の変遷についてどのように見ておられますか。

中嶋　農業基本法は一九六一年に制定されています。それ以前は農地改革を行って戦後復興のなかで農業のあり方を立て直す政策を進めていました。その後、経済復興が達成され、高度経済成長が進むなかで、農業と工業の格差、いわゆる農工間格差や、そこで出てきた矛盾をどのように解決していくのかが、農業基本法のテーマになったと思います。都市と農村の格差問題も強く意識されていて、地域政策の出発点となっていたと言えるでしょう。

また、農業生産の選択的拡大の流れもありました。食料需要が大きく変わっていくことを想定すると生産構造を変えていく必要があります。特に、畜産振興をしたくても飼料基盤は限られていて、非常に脆弱な生産体制でしたが、ニーズが高まっていくことはわかっていました。それ以外に野菜などの需要も増えることは明らかでした。ベビーブームで増えた人口が都市に集まっていく中で、そのような人口集中地域でも人々が何の憂いもなく、より豊かな食を享受できる食料政策が非常に大きな課題だったと思います。

私は、その課題解決をやり切ったと考えています。卸売市場の整備で青果物や水産物、畜産物も全国的な流通体系ができ、都市に食べ物を集める仕組みは確立できました。ただ、産業構造の変化のなかで、都市部の農業は相対的に縮んで、一方で人口は非常に増えました。千葉や埼玉、茨城などは今でも大農業県ですが、東京の人口規模からすると食が足りなくなってしまい、北海道や東北、九州などの遠隔地の農業産地に頼るようになって、地方で畜産基地建設や酪農振興が進みました。

経済が発展する過程で産業としての農業が縮まってきました。多くの人が他産業にどんどん流出するようになり、産業構造の変化に合わせた農業構造の変化をどのように誘導していくのかが、農業基本法の根底にあったと思います。結果的には、兼業農家が増えて農業構造の変革はうまく進まなかったという批判はあります。

一方で、農地価格が上がって、農地の取引は非常に難しくなりました。農地転用の期待がある人たちは農地を売りませんし、買うには高い。農地改革の影響もあって、しばらくは農地の貸借もうまく進まず、その後の農用地利用増進法や農業経営基盤強化促進法などが整備

される過程で、貸借による拡大ができるようになりました。ただ、北海道は売買によって面積が拡大でき、規模の経済を発揮しています。本州と北海道では、まったく風景が違っています。

小磯　北海道と道外の地方部では、農業の展開は大きく違っています。戦後の北海道開発政策では、独自の寒地農業政策を展開していこうという熱心な議論が展開されていました。北海道では専業化率も高く、担い手も北海道と本州では違った展開になっています。

中嶋　北海道ではきちんと農業地帯が残っていて、農業を生業として成り立たせることができたと思います。

小磯　戦後の北海道総合開発計画の大きなねらいは製造業の定着でしたが、距離のハンディもあり、なかなか順調には進みませんでした。でも、農業分野では、酪農生産に向けた根釧パイロットファームや新酪農村など、総合開発プロジェクトとして本州にはない形で挑戦してきました。

中嶋　根釧地域での畑作は気候面で厳しいことを踏まえて、草地をうまく利用しながら牛を飼う選択をして、酪農振興は成功しました。北海道の水田開発も泥炭地を改良し、今では大規模稲作地帯に成長して、おいしいお米を生産しています。当初はこんな大生産地に成長するとは想像もできなかったでしょう。

小磯 戦後すぐに北海道開発庁がＯＤＡ資金を使って、酪農開発の先駆的な取り組みや泥炭地の水田開発を進めたことが花開いています。日本の食料生産を担う農業政策と地域開発政策が連携して取り組みを進めたことが北海道の大きな特徴です。

中嶋 農政の方向を定める食料・農業・農村基本計画は基本的には本州を中心に計画しているところがあり、北海道は別建てで検討されているという印象があります。ただし、基本計画において重要な目標である自給率ですが、現在の水準を維持できているのは、北海道があるからと言えます。

小磯 その点では、他の政策分野に比べて、地域の特色を生かしながら日本の農業政策を展開していく一助を北海道が担ってきたように思います。

中嶋 今は産業政策と地域政策の両輪で農業政策を行っていくことが当たり前になりましたが、農業政策に「地域」という視点が入ってきたのは、一九九〇年代に入ってからだと思います。一九九一年に牛肉とオレンジの自由化が決まり、一九九四年にガット・ウルグアイ・ラウンド（以下、ＵＲ）交渉が終了し、翌年にＷＴＯ（世界貿易機関）協定が発効して関税率が低下するなど、貿易自由化が進みました。一九九二年には新政策（新しい食料・農業・農村政策の方向）が公表され、市場機構による調整に基づいた生産構造の転換や、担い手対策による農業構造改革が推進されるようになり、それが一九九九年の新法で結実したと言えます。

小磯　九〇年代が大きな農政の転換期だったと。

中嶋　新しい基本法における農村施策は、農業基盤整備などを含めた農村の生活改善、中山間地域等直接支払制度などの条件不利地対策、そして都市・農村交流の三つと言えます。以前も過疎対策として地方と都市の格差への対応はありましたが、農業構造の変化が進んで、農家にも規模の違いなど階層分化が一層進み、加えて都市と中山間地との間で状況が違ってきて、農業振興面でまだらな状況が目立ってきました。

二〇二二年一〇月から食料・農業・農村政策審議会基本法検証部会で、基本法の見直し作業を進めました。現政策の枠組みの一つのポイントは、世界的な農政改革の流れを踏まえた市場で価格を決める枠組みです。それまでは食糧管理法によって、長く米価と米流通は政府の管理下にありましたが、一九九三年の米の大凶作を契機に食糧管理法が廃止され、食糧法制定で米価は市場機構体制へ本格移行されるようになりました。

市場メカニズムを利用した農業振興や農業支援という政策に舵を切ったことで地域間で影響に差が現れるようになり、必然的に地域政策という考え方が出てきたように思います。それ以前の地域政策であった過疎対策は農工間格差の問題で、農業のなかでの完結した議論ではなかったのです。

小磯　九〇年代後半は、いろいろな意味で市場原理を導入した新自由主義的な考え方が政策に影響を与えました。農業でも市場メカニズムを利用した制度の議論が出てきて、その結果、地域のハンディが浮き彫りになり、農業政策として地域政策に向き合っていく流れが出てきたのですね。

食料安全保障を考える

小磯　ロシアのウクライナ侵攻を契機に国際情勢が不安定になり、食料安全保障のリスクが高まっています。以前から日本の食料自給率の低さは指摘されていますが、あらためて日本の農業政策における食料自給率への対応が課題になってきたように思います。

もともと農業政策の理念には食料安全保障の意識はあったと思いますが、いつの間にか食料の多くを海外に依存する構造になってしまいました。

中嶋　基本法検証部会での見直し作業で、最も大きなテーマが食料安全保障をめぐる情勢の確認とそれに応じた政策の再検討でした。現行基本法制定から二〇年以上も経っているので米や農地政策などの見直しも必要ですが、議論が始まった契機は食料安全保障への懸念の拡大

でした。二〇二三年五月に中間とりまとめを行って、九月の審議会で最終取りまとめの上、答申を大臣へお渡ししています。（編集注：その後改正法案が令和六年通常国会に提出され、五月二九日に可決成立しました。）

日本の食料自給率は四〇％ほどで推移していますが、現行基本法から基本計画で食料自給率目標を定めることになり、自給率を高めることの重要性が認識されていました。しかしながらその後、自給率を引き上げることはできませんでしたが、その状況が許容できたのは引き続き必要なものを輸入し続けることができたからです。農林水産省の推計によると我々の食料の生産をするには約一四〇〇万ヘクタールが必要なのですが、国内には田畑を合わせた耕地面積は四五〇万ヘクタールほどしかありません。足りない部分は、輸入農産物で補ってきたのです。戦後世界の食料生産と貿易が発展するなかで、我々は国力を付けたこともあり、好きなだけ食料を輸入できるようになり、戦後の食を豊かにすることができました。結果的に我々は、輸入に依存する体系を良しとしてきたと言わざるを得ません。

九〇年代はＵＲ合意後にＷＴＯ発足、冷戦終結と、いろいろな意味で世界が非常に安定していました。当時はアメリカとヨーロッパの食料生産は過剰気味で、競うように輸出しており、日本の購買力もありました。平成の大凶作で米の生産が七割に減った時もアメリカや中国、タイから容易に米を輸入できました。

ところが、ここにきて状況が怪しくなってきました。その後、世界人口は二〇億人以上増え、各国の所得が上がって、食料需要が確実に増えました。食料は増産されましたが、国際価格が上がっています。二〇〇八年の世界食料危機で穀物価格が一気に上がった上に、石油価格の高騰でバイオエタノールの生産が拡大するようになり、トウモロコシの価格を押し上げました。その後も価格は上下変動しながら、以前とは比べ物にならないほど高い水準になっています。そこにウクライナ問題が発生し、記録的な高い価格となりました。

九〇年代にWTO体制が発足して以降、アメリカは小麦の生産量をそれほど増やしていません。輸出も世界の中では一割程度のシェアで、世界で拡大した需要を埋めているのがロシアとウクライナです。アメリカはトウモロコシの大生産国でもあり、九〇年代以降も増産し続けていますが、バイオエタノールに利用されているので輸出量は増やしていません。世界全体では確実に穀物が必要になってきているにも関わらず、アメリカは他国への供給量を増やしておらず、それを埋めるようにヨーロッパ、特に中東欧やロシア、ウクライナなどが世界の穀物供給を支えています。しかし、このような状態は地政学的な観点からすると不安定です。気候変動の問題もあり、食料がいつ足りなくなるかわかりません。

日本はバブル崩壊後、経済が低迷して一人当たりGDPが減少し、購買力も落ちました。これからも世界で人口が増え、経済も拡大するなかで、これまでのように日本が好き勝手に海外から農産物を買えるのでしょうか。そこが大きな問題です。

FAO（国連食糧農業機関）では「全ての人が、いかなる時にも、活動的で健康的な生活に必要な食生活上のニーズと嗜好を満たすために、十分で安全かつ栄養ある食料を、物理的にも社会的にも経済的にも入手可能であるときに達成される」ことが食料安全保障だと定義しています。この観点からすると日本の現状は問題があるのではないかという指摘があり、今回の基本法見直しでは、国民一人ひとりの食料安全保障という概念をしっかり組み込むことになりました。

もう一つが不測時の食料安全保障ですが、現状では食料不足が起きて国内で食料を分け合うことになっても、それに対応した法制度がありません。昔の食糧管理法には配給制度がありましたが、今の食糧法では米の備蓄制度で、万が一の事態の時には約一〇〇万トンの備蓄米を提供できますが、他の食べ物については基本的に国家備蓄がありません。そうなると民間業者にお願いして、流通在庫を一時的に管理してうまく配給することを目指すことになりますが、その指示を出すための法制度的支えがなく、財政的な裏付けもありません。これまで食料が不足することはそれほど心配されていなかったのですが、今はその確率が上がってきていて、基本法改正に合わせて不測時の食料安全保障に関する法制度を整備することになっています。

小磯　近年の国際情勢の不安定さや異常気象などを踏まえて、予測し難い危機を想定した政策づくりが進められているわけですね。

中嶋　一九九九年の基本法では、第二条「食料の安定供給の確保」で「国内の農業生産の増大を図ることを基本とし、これと輸入及び備蓄とを適切に組み合わせて」行うことが掲げられています。二〇一一年には「不測時の食料安全保障マニュアル」も策定し、レベル0から2までの判定基準やその対応をまとめるなど、かなりきめ細かな対策を検討していました。ウクライナ問題の少し前に凶作があって、穀物だけでなく油などの国際価格も上昇していたのですが、警鐘が鳴り始めた時にウクライナ危機が起き、問題意識も高まっていました。

小磯　そうした農業政策の変化を地域はどのように受け止めていけばいいのでしょうか。国内生産を増やすとともに、備蓄に向けた取り組みも必要でしょうか。

中嶋　食料の安定供給の枠組みは国内生産と輸入と備蓄の三つですが、さきほど申し上げた通り、国の備蓄はわずかです。大豆や小麦、野菜を含めて全般的に国内生産を増やして、輸入に頼れないもしもの時に備える、国内生産基盤を維持していくことが必要です。

食資源による輸出産業の創出

小磯　戦後の系譜では、食のニーズの変化も大きな要素です。以前はつくれば誰かが買ってくれましたが、今はどこでどのように消費されるかを見極めながら生産を考えていく時代です。そこからバリューチェーンという発想が重要になってくるのでしょうが、北海道の農業生産においても、どのように消費されるのかを見据えた動きが出てきています。

中嶋　産業連関表で推計した国内飲食費の消費額の推移は、一九七〇年から一九九五年までは確実に金額が伸びていました。ところが、一九九五年を境に減少傾向になっています。食料需給表の供給熱量から見ても一九九五年以降は一人当たりの供給熱量が頭打ちになっていて、その点からも飽和状態と言えます。九〇年代になってから、食べることに対してお金をたくさん使わないし、総体的にはお腹いっぱい食べようということも減って、どんな食を提供すべきかが変わってきています。昔はつくれば売れるから何をつくるか思案しませんでしたが、今では何が売れるのかを考えてつくるようになっています。

九〇年代は大きな変わり目で、昭和までの成長経済が終了したこともあって、平成は農と食の産業にとっては苦難の時代でした。デフレであらゆるものの値段が上がらず、食料はその最たるものでした。二〇〇八年の世界食料危機で穀物価格が上がりましたが、国内での価格上昇はそれほど顕著なものとはなりませんでした。消費者も財布のひもが固く、高い値段で買わないことに加えて、お腹は満たされているので、質に目が向かうようになり、食品産業では品質やサービスといった非価格競争が始まりました。そのなかでコスト削減も必要なので、海外から原料としてできるだけ安い調整品を買ってコストを下げて安い価格で提供できるようにしました。一方で、質を追求したおかげで、世界に冠たる「ジャパン・クオリティー」と呼ばれるような素晴らしい食のラインナップもつくり上げています。その後も長い期間、国内の消費者は食に高いお金を払ってくれない状況が続いたと思います。

戦後の経済成長期を見渡すと、多様なニーズや嗜好に合った食にきちんとお金を払ってくれた時期もあったのですが、九〇年代に変容してしまいました。質のよい食が安価で得られるので消費者にとってはハッピーな時代でしたが、生産者や食関連事業者にとっては非常に苦しい時代だったと思います。

小磯 今、ようやくそこが変わって、消費者にとって厳しい時代になってきました。

中嶋 肥料価格がかなり高騰しているので、農家の皆さんはもっと価格転嫁してほしいと思っています。インフレ率は二〇二二年に二%を超えるようになりましたが、賃金はそれほど上がっていませんから、価格を上げた時に消費者がついてきてくれるかどうかです。下手をすると国内品を忌避して、海外産の食を買うことにもなりかねません。安易な価格転嫁は難しい気がします。

小磯 一方で、日本の食料品は輸出量が拡大し、農業地域にとって一つの追い風です。

中嶋 苦労して九〇年代から「ジャパン・クオリティー」を高めた成果です。お酒などの農産物や畜産物を加工したものにプレミアムがついて外貨を稼いでいますが、輸出の半分以上が水産物なので、農水産物という枠で考えるべきでしょう。ただ、課題もあります。海外で人気の和牛ですが生産のための飼料は輸入していますし、外国人労働者に頼っている分野もあり、正確な国産化率がわかりません。

小磯 先進国の生き残り戦略の一つに食資源の活用、輸出産業の創出という道があると思っています。例えば、イギリスのスコットランドはスコッチウイスキーをうまく食のブランドとして育て、強い地場産業を輸出産業に成長させました。フランスのワインも同様です。日本が育んできた食文化や食資源を地方の活性化のツールに組み入れていく連携プレーができれば、可能性が広がっていくように思います。フランスのワインなどは、これからの日本の食戦略に通じるものがあるような気がします。

中嶋 フランスのワインは同国の輸出産業のリーダーの一つになっています。イタリアやスペイン、アメリカのほか、新興国のチリやオーストラリアなどとの競合関係はありますが、国際的なスタンダードを握ったこと、イニシアティブが取れたことが大きいと思います。ルールメーカーになることがポイントです。ジャパニーズ・ウイスキーも世界の中で人気を確立しています。

小磯 日本のウイスキーやワイン、日本酒も世界への発信に向けて頑張っています。各地にある食と関連製品を磨く努力をすれば、世界の市場で地域ブランドを売り出していくことが十分可能ではないでしょうか。

中嶋 今は混乱が収まりましたが、和牛を海外に売っていく最初の段階は産地間競争が激化しました。宮崎牛や佐賀牛など各地の和牛が海外の百貨店に並んで、互いに足を引っ張ってしまいました。そのうちにオーストラリア産「ＷＡＧＹＵ」が登場し、味と価格の見合いで客が流れていきました。そこで政府も輸出体制を見直しました。日本全体としてのブランドと日本各地の地域ブランドを、うまくハーモナイズさせることが重要です。

小磯　現在の基本法改正に向けて、そこは踏み込んで議論しているのでしょうか。

中嶋　輸出についてはいろいろな意見があります。輸出するくらいならば輸入を減らすような努力をすべきという輸入代替の議論をする人がいる一方で、海外は成長していて今後の輸出には伸びしろがあるので推進すべきだという声もあります。自給率を上げることにつながるかどうかという議論はありますが、儲かってやりがいも出てきますから、私はチャレンジすべきと考えています。

小磯　食関連の輸出が増えれば成長産業になっていきます。

中嶋　そういう農業者がいることが大切です。今は輸出用の食品をつくっていても、将来は国内向けの食品をつくることになるかもしれません。農地を維持することにもつながります。外貨を稼ぐことにもなり、長期的には意義があります。輸入代替を否定しているわけではありませんが、輸出についてはかなり議論をして、最終的にはその方向で進んでいます。

小磯　産業の質を高めていくためには、世界に打って出るくらいの前向きな挑戦が必要だと思います。

人口減少と高齢化

小磯　今後の農村地域、特に地方の大きな問題に人口減少と高齢化があります。まさに農業の担い手が減少していく現状があります。

中嶋　人口減少は全国的な課題ですが、水田農業と水田農業以外、さらに本州と北海道と、それぞれでかなり違いがあります。

水田農業では農業用水を含めた資源管理が不可欠なので、地域力が下がっていくことは維持管理の面で非常に問題です。それをカバーするために、ＩＣＴを活用した農業基盤整備をすれば何とか対応できるという議論はあります。ただ、すべての施設を対象にすると、お金がいくらあっても足りません。地域の活動を利用しながら、農地と水の維持管理の新しいルールを考えていく必要があります。北海道では既に農業構造改革が進んでいますが、本州も遅ればせながら経営規模を拡大していて、今では北海道の平均より大きな規模で展開する例も出てきています。まずは法人を中心としながら、人手が少なくてもやっていけるような展開にしていくことでしょう。スマート農業への対応も徐々に増えてきています。

そうはいっても働いている人は高齢化しているので、今後二〇年で担い手は今の四分の一まで激減する恐れがあります。今までの農村地域は社会減が多かったのですが、今後は高齢者も少なくなり自然減が拡大していきます。その状況で農業を下支えする仕組みをどのように考えていくのか。関係人口を増やしたり、新規参入を促すという対処法はありますが、決定的な決め手はないように思います。

また、この何十年か、日本は世界に比べて生産性向上の面で見劣りしています。生産性を上げるために技術革新を進めるべく新技術を導入していくことも必要です。

小磯　生産性の向上は必須です。他の産業部門でも人口減少時代をいかにイノベーションで克服していくかが大きなテーマで、それは農業も同じでしょう。

中嶋　スマート農業で、私が着目しているのはサービス事業体の役割です。ドローンを飛ばして施肥する、農薬散布をする、生育状況を上空から撮影して分析するといったことが増えています。都府県ではそのサービスを専門にする事業者に期待が集まってきています。稲作では田起こし、田植え、肥培管理、収穫、乾燥調製などの作業があり、その一部をサービス事業体に外注しています。北海道の酪農でもＴＭＲセンター（牛用の混合飼料を生産する施設）が飼料生産を担ったり、糞尿を環境事業者が処理するなど、作業をセグメント化してアウトソーシングしています。今後はそれが当たり前になってくるでしょう。

小磯　北海道では、スマート農業の先進的な取り組みが多くあります。

中嶋　機械を所有して一人でやっていても稼働率は限られます。でも、地域全体、あるいは日本全体を移動するようなビジネスを展開して機械を有効利用できるようになれば稼働率も上がります。短期間で減価償却すれば新しい技術や機械の導入、その転換も容易になります。農地を所有した農業経営体と、切り出した農作業の一部分だけをお手伝いする事業体をうまく組み合わせていくことで、技術革新のエコシステムが効率的に回っていくと思います。

改正する基本法では、これまでの農業の担い手に加えて、多様な農業人材やサービス事業体の育成や確保なども位置付けて、効率的かつ安定的な経営体を目指しています。

小磯　幅広い農業の担い手が出てくることで、相互に啓発される効果もありますね。

中嶋　北海道は農業サービス事業体の導入が先進的に進んでいるので、生み出されたビジネスモデルは都府県でも使えるようになっていくと思います。

小磯　道内では、各地でＩＣＴを活用した実証実験が盛んで、そこで得られた知見を他地域に援用していく動きが出ています。更別村のサテライトオフィスに東京の大手ＩＴ企業が入居して、農地をドローンで撮影して分析する業務を担っており、その担当者に話を聞く機会がありましたが、その担当者は十勝の地で農業に携わっていることに強い誇りを感じていました。農業はあこがれだったが、東京にいながら北海道で収集したデータを分析し、農業生産性の向上に関わっていることに醍醐味を感じるとも話していました。

中嶋　情報技術の発達は農業に大きなインパクトを与えるでしょう。また、これからは情報技術を使い切れる経営者としての資質が求められるようになります。東京にいてもインターネットを活用して農業のサポートができることは、大きな変化です。それで人手不足を少しでも手助けすることができると思います。

小磯　人口減少時代には働き方の仕組みを変えていくことが、イノベーションの一つの鍵になると思います。

脱炭素と生物多様性

小磯　脱炭素や生物多様性などの地球環境問題に対する農業の課題、役割については、どのように考えておられますか。

中嶋　温室効果ガス排出の観点からは、農業は悪者です。水田稲作や牛のげっぷによるメタン、たい肥からの窒素酸化物や農業機械からの二酸化炭素の排出など、大きな環境負荷を与えています。これは世界的にも認識されていて、一五〇か国以上の関係者が参加した「国連食料システムサミット２０２１」では環境に調和した農業の推進が一つのテーマでした。

今でも世界的に人口が着実に増えているので今後も食料を増産すべきですが、増産することで温室効果ガスを増やしたり、生物多様性を毀損することが許されるのだろうか、食べ方を変える必要もあるのではないかという議論があります。昔から農薬による健康や環境被害の問題がありましたが、それはローカルな問題と認識されていました。ところが、二酸化炭素となるとグローバルな問題になってしまいます。現場の農業経営者も地球の観点から環境問題を意識した農業のあり方を考えていかなければいけない時代になってきました。

ＥＵが二〇二〇年に発表した「Farm To Fork 戦略」では、明らかに環境政策が強化されています。農林水産省でも二〇二一年に「みどりの食料システム戦略」を策定し、「国連食料システムサミット２０２１」で、日本の公約として発表しています。二〇二二年には「環境と調和のとれた食料システムの確立のための環境負荷低減事業活動の促進等に関する法律（みどりの食料システム法）」が制定されました。

また、これまでの食料・農業・農村基本法では、食料・農業・農村の施策と多面的機能の施策を構築するための政策の基本理念の四本柱が提起されていて、その多面的機能が環境に及ぼす影響はプラス面だけが想定されていました。今回の基本法の見直しでは、温室効果ガスの排出や生物多様性への影響といった環境への負荷について触れていくべきだとされたところです。(編集注：改正法では五番目の基本理念として「環境と調和のとれた食料システムの確立」が定められました。)

先ほども触れましたが、温室効果ガスの問題では水田稲作と酪農や肉牛が排出するメタンの問題が大きいのですが、食べ方の問題や食品ロスも環境に負荷を与えているので、農業だけでなく、食品産業と消費者が環境に対して高い意識を持って対応することが、これからの食と農のあり方に求められると思います。

小磯　単に農業生産だけの問題でなく、生産されたものをどう食べるか、どのように流通させるのかなど､食全体の社会システムのなかでこの問題に向き合っていくことが大切ですね。

ところで、水田では土を乾かす「中干し」のような作業で有害ガスを抜くなど、個々でできる取り組みも出てきているようですが。

中嶋　「水稲栽培による中干し期間の延長」は、J―クレジット制度（国が温室効果ガスの排出削減量や吸収量をクレジットとして認証する制度）の新たな方法として承認されています。炭素貯留などを含めて少しずつ技術が確立されていて、J―クレジットを活用すれば農家の新しい収入源にもなります。

小磯　そういった制度をきっかけにしながら、環境問題に、みんなが「できるところから取り組んでいく」うねりを仕掛けていくことも重要だと思います。北海道では、えりも岬で昔から漁師が魚付き林を育てていたり、道東の浜中町で酪農家が森林や海を守る活動を地域と共存して進めてきたりしています。各地でそんな取り組みを広げていくことが、脱炭素や生物多様性を守ることにつながっていくと思います。

中嶋　別海町のような大酪農地帯では、糞尿処理も大きな課題です。産業として酪農を振興する上では、環境企業にも関わってもらい、地域全体で環境対策を考えていくべきです。

小磯　再生可能エネルギーである糞尿を発酵させたバイオガス発電の利用は、北海道の各地で進んでいます。十勝の上士幌町では、北海道ガスと連携して、地元の畜産農家の糞尿を使って発電し、住民にその電力を販売する仕組みをつくり、脱炭素の先行地域にも選定されています。

「地域政策の総合化」と、食と観光

小磯　新しい食料・農業・農村基本計画には「地域政策の総合化」が掲げられ、「関係府省が連携した上で都道府県・市町村、事業者とも連携・協働し、農村を含めた地域の振興に関する施策を総動員して現場ニーズの把握や課題解決を地域に寄り添って進めていく」とあり、縦割り政策の総合化を掲げています。農協という大きな組織が外側にあるので、地方自治体の現場では、農業政策に関われる部分はかなり狭いと感じていました。農業を魅力あるものにしていくためには、地域政策として幅広く農業政策を受け止めて、課題解決や新しい取り組みに向けて調整していく挑戦的な姿勢が必要だと思います。

中嶋 農業は作物や畜産物を生産するわけですが、それらを食べ物にするためには乾燥調製や加工、食肉処理など、関連産業との連携が不可欠で、その一連の過程で価値が生まれます。産業連関表による推計では農林水産業の供給高は約一一兆円ですが、最終の消費額は八三兆円ほどになり、約七〇兆円の付加価値が生まれています。でも、農業者にはそのうちのわずかしかお金が残りません。

そこで、地域の視点で考えて、七〇兆円の付加価値のうち、どれくらいを現場の産業で生み出して手元に残していけるのかを考えることが大切です。ビートを生産するだけでなく、甜菜糖をそこで生産することに意味があります。それを消費地に輸送すると、流通コストも加わって、どんどん価格が上がっていくわけですが、付加価値を上げる作業をどれだけ地域の企業が担えるか、それが地域の農業や関連産業の厚みにつながります。

小磯 農作物の生産から消費者の胃袋に収まるまでには多くの産業が介在していますが、付加価値の七〇兆円のなかで大きな割合を占めているのは流通、特に消費流通に関わる部分です。それをどれだけ生産した地域の経済価値として還元させることができるかが大事です。

少なくとも、自ら担える機会があるのに、それが東京などの大都市圏で賄われているのであれば、そこを地元に還元していく努力が必要です。流通を含めた食産業全体のなかで、どこまで地域が関与していけるのかという戦略が欠かせません。インターネットやDXを活用していけば、地方のハンディをかなりカバーできます。

中嶋　食と農に関わる産業として観光に大きな可能性があります。そこにも活路を見出すべきでしょう。農業の担い手は減っていくので、最もコストがかかる人件費のことを考えると、人がいなくなってもやっていける農業や農村関連産業のあり方を政策として取り組む必要があります。でも、それだけでは原料をつくっているだけで付加価値が積み上がりません。加工産業ということで二次産業の製造業を立地させることも大切ですが、それも限界があります。北海道は遠隔地であるために生産した食品を消費地に販売していく際にどうしても高い輸送費という不利な条件を負わざるを得ないからです。

そこで三次産業、サービス産業である観光にどのように食材を地元で活用してもらえるかを考えた方がよさそうです。観光では消費者がわざわざこちらにやってきてくれる訳ですから、食べてもらうために必要な輸送費を節約できていることになります。レクリエーション体験や名所見学などの目的もあるでしょうが、北海道に来れば皆さんこぞっておいしい食事を楽しんでくれるわけです。遠隔地に輸送するためには品質や鮮度管理に相当なコストがかかりますが、産地で新鮮な完熟したものを提供できるので、魅力も価値も損ないません。インバウンドなら輸出と同じです。

小磯　観光はまさにサービス輸出産業で、これからの地方が稼いでいくための最大の基幹産業と言えます。観光産業と、魅力ある食を創出できる農水産業との連携は、非常に大切なテーマです。

中嶋　食と観光の組み合わせは重要です。サービス産業は労働集約的で手間もかかって省力化のための作業の標準化がなかなかできませんが、実は標準化しないからこそ価値が生まれます。働く機会を生み出すことにもつながります。農業は徹底的に人手を少なくした方がいいのですが、人手がなくなると農村地域は成り立ちません。でも、観光産業と農業、食産業が結び付いた地域であれば、それなりに人を抱え込むビジネスの仕組みができ、全体としてほどほどの人員が維持されることになります。つくられた原料を地域で利用すれば域内連携にもつながります。

北海道総合開発計画にある「生産空間」において、うまく経済循環が確立してほしいと考えています。酪農品が中心になる地域やハスカップのような農産物がある地域など、それぞれ個性があり、地域間で原料の融通をし合って魅力ある食をつくり上げていけると思います。もちろん景観などの多面的機能とも結び付いてくるでしょう。そんな循環の仕組みができれば、地域としての活力も維持でき、関係人口も増えると夢想しています。

小磯　二〇年ほど前に観光の調査で、フランスの地方部でヒアリングをしたことがありますが、政府関係者、観光事業者に加えて農業専門家が一緒に対応してくれたことが印象に残っています。観光と食は一体で、ごく自然に地域の中で連携の土壌が根付いていることを感じました。日本も観光立国を目指すのであれば、食の魅力を生かした観光に向けて、生産者側との連携を進めていくことが必要です。

中嶋　働き方改革で週休三日制を導入する企業も出てきましたが、一日増えた休日の時間を食に使うような生活スタイルが定着してほしいと思っています。食について考えたり、その延長にある食を目指した観光に時間とお金を使ってもらう。そんな国民が増えてくれば、環境に配慮した農業への支持も広がります。食はもっと豊かで幅があるべきです。北海道から沖縄まで、いろいろな地域でいろいろな食がつくられていることが想像できる、そんな豊かさを増していく国になってほしいと思っています。

そのためには、どんなことをやっているのかを地域から発信しなければ伝わりません。受け取る側も事前の勉強がなければ咀嚼できないので、食育も大切です。もう少し食を豊かにしていく暮らし方を考えていく必要があります。

小磯　ご指摘のあった「生産空間」は食と観光を支えている地方の空間に着目した、大切な地域政策のコンセプトだと思います。二〇二四年三月に閣議決定された第九期北海道総合開発計画では、さらに再生可能エネルギー生産を担う役割も加わって、あらためて「生産空間」の役割が重要になってきたと感じます。ただ、その役割を発揮していくためには国だけでなく、北海道庁や市町村が一体になって進めていくスキームと努力が欠かせません。

中嶋　今後は環境保全型農業の実践も求められます。畜産廃棄物はバイオマス資源として利用するなど、環境に優しい農業で安全・安心なものを生産し、観光にも結び付けていく。北海道の農産物が環境に優しい安全・安心な体制でつくっていることが理解されれば、わざわざそれを食べに行くという循環が生まれます。日本全体でそんな流れが生まれていくことが理想です。

戦後、しばらくは量の確保が第一で、輸送の効率化のために規格化することが産地に求められました。でも、誰がつくったのかわからない不安がありました。量が確保され豊かになり、今では誰が生産したかがわかる産直や、ＱＲコードから生産者の情報を取り出せるなど、きめ細かな対応が可能になっています。

小磯　地域の個性が発揮でき、評価されれば生産者の頑張る意欲にもつながっていきます。大切なのは、競争原理を有効に生かすための仕組みです。

中嶋　米などはブランド競争が激化して、今は特Ａ米がだぶついて値崩れしています。食べ物は安くて安全・安心の方がいいのですが、そこから一歩抜け出したものをどう考えるかという課題はあります。誰がその舵取りをしてくれるかはわかりませんが、間違えると過当競争になってしまうので、バランスを取りながら、地域の食文化を含めて次の世代に持続的に提供していくような仕組みが期待されます。

小磯　観光や環境などの動きを受け止めていく上で難しいのが、広域的な地域の受け皿づくりです。政策を進めていく広がりとしては、市町村の垣根を超えた広域的な広がりが必要ですが、その受け皿づくりは、まだこれからです。「生産空間」の視点を活用していくことも必要でしょう。例えば、帯広市が主導する「フードバレーとかち」は、中核都市が呼びかけていくという柔らかい連携手法での取り組みです。

中嶋　「フードバレーとかち」では、産業クラスターとして、農産物、加工、流通などの産業群が十勝の中でどんなバランスになっているのかを見直してみるといいのではないでしょうか。いろいろなものを生産していますが、そのコンビネーションを提起する場として、どれだけ魅力のあるものになっているかを考えてみると、何か新しいヒントが出てくるように思います。土地利用という観点から効率的に利用できる体系がつくれているのかという視点からも見てみるといいと思います。いかに生産性を上げていくか、新しいビジョンがあるのかなど、全体として互いに創発し合いながらイノベーションを起こしていくという点で、研究開発も重要です。

小磯　十勝はなかなか底力のある地域です。北海道の六つの地域産業連関表を比べると十勝農業における域内の中間財投入率が高いことがわかります。農機具メーカーが発達しており、地域内で農業と製造業がしっかり結び付いています。最近、それを実感したのがバイオガス発電です。十勝では地元の農業機械メーカーが再生可能エネルギー分野にしっかり参入しています。産業間の域内連携により、地域経済の循環が進んでいるのです。今後は、さらにその連携が広域的に展開していけば面白いと思います。

人口減少が進み、このまま放っておくと域内需要がどんどん低下していくので、これからは産業の壁を超えて、いかに域内の結び付きを強固にしていくかが大切です。

最後に、北海道農業の可能性を発揮していくためには何が必要か、アドバイスをお願いします。

中嶋　食料安全保障の観点から、国内生産をいかに振興していくのかが非常に大きなポイントです。放っておくと人手不足で縮んでしまうことは明らかですが、そのなかでスマート農業などを導入できる可能性が高いのが北海道です。一方で、都府県は構造改革が遅れたため、これから規模拡大の余地はあります。でも、中山間地の土地などは不利な条件もあり、すぐには進まないでしょう。基盤整備など、北海道に学ぶべきことは多いと思います。

北海道の農業者は優秀なので、みんな頑張って規模拡大をしていますが、現時点では、これ以上はなかなか大きくなれない状況ではないでしょうか。ただ、これからはＤＸなどを使い切ることが経営力の差になってきます。面積などの経営規模の有利さではなく、そういった経営者能力が規模拡大の可能性を生み出していくことになるでしょう。

いずれにしても、食の安定供給のためには土地をフル活用することと、その土地をフル活用できる担い手の有無にかかっていて、一番期待できるのが北海道です。ただ、その観点からはやや酪農や米に偏る傾向があるので、他の農産物の生産も増やしていくように、もう一段レベルアップしてほしいと期待しています。温室効果ガス排出の観点からも酪農と稲作は課題があるので、新しい技術を導入しながら環境負荷への対応も進めてほしいと思います。

小磯　土地をしっかり活用し、他産業とも連携しながら日本における先駆的なモデルを目指していくことが大切だと思います。今日はありがとうございました。

地方からのイノベーション

村上　裕一（むらかみ ゆういち）

2012年３月東京大学大学院法学政治学研究科修了、博士（法学）。東京大学公共政策大学院特任講師、北海道大学大学院法学研究科・法学部・公共政策大学院准教授、フランス・ボルドー政治学院客員研究員等を経て、2024年４月から北海道大学教授。著書に『技術基準と官僚制：変容する規制空間の中で』（岩波書店）、『公共政策学の将来：理論と実践の架橋をめざして』（共著、北海道大学出版会）、『文部科学省の解剖』（共著、東信堂）など。

2023年11月10日対談

地方の現場から

小磯　村上先生とは北海道大学公共政策大学院で一緒に活動をしてきました。特に、『地方創生を超えて』（岩波書店）執筆時には、道内市町村のヒアリングで、消滅可能性が高いと言われた地方部を一緒に回りました。地方創生の実務を直接担当した市町村職員の生の声を聞くとともに、村上先生の提案でアンケート調査も行い、地方の現場の目線から、地方創生という政策にアプローチでき、貴重な経験になりました。また、私が在籍した国土庁と国土政策について独自の分析を試みられ、私にとっても地域政策を見つめ直すいい機会になりました。

最終章の鼎談で、村上先生は地方が国の政策に向き合っていくために「地域の将来像を描ける専門性のある職員をきちんと育てていくことが必要」と指摘されましたが、私も同感です。地域の将来を洞察しながら地域政策を進めていく担い手をしっかり育てていくことが重要だと思っています。

村上　地方創生は、私が二〇一四年に北海道大学に着任した翌年に本格的にスタートしました。『地方創生を超えて』のヒアリング調査では一緒に各地を訪問させていただいて、北海道を知る上で大変勉強になりました。移動の車中で、道内全一七九市町村にアンケート調査を実施して全体動向を分析しようということになり、九〇％近い回収率で、極めて有意義な研究になりました。

政策現場を知ることができただけでなく、各自治体で個々の職員が勉強しながら取り組まれていたことも印象深いです。他方で、それは属人的なもので、国からの指示に対応できる職員がいなければ役所は回らない、という市町村の脆弱性も感じました。自治体職員を育成し、政策能力を高める機能をどこかで提供する必要性を感じました。

　地方創生は二〇一五年以降、五年単位で動いていますが、今では研究者の間ではもう遠い昔の出来事になってしまいました。地域政策には国が制度改革を含めて中長期的な視点で取り組むべきですが、残念ながら地方創生は短期的なブームで終わってしまった感があります。計画を立てる努力義務を負わせて交付金獲得に知恵を出してもらうこと、自治体を競わせること自体は悪くないと思いますが、問題意識を持っている自治体の取り組みを根気強く見守る意思が自治体に伝わっていれば、もっと腰を据えて取り組めたのではないでしょうか。

　二〇一八年九月から二年間、フランスのボルドー政治学院で在外研究をしました。見ていると、フランスでは権限と税財源の移譲、過疎地域への配分など、まちづくりに関する地方分権や都市を核にした自治体の広域連携が進んでいました。

　二〇一九年に出版された『フランスではなぜ子育て世代が地方に移住するのか』（学芸出版社）によると、日本の地方創生で「まち・ひと・しごと」がキーワードだったのに対し、フランスでは地方（村落）に仕事をつくらなければならないという強迫観念はあまりなく、職住近接という考え方が示されていました。前提となる価値観に違いはあるものの、フランスの取り組みは参考になることがあります。

小磯　『地方創生を超えて』刊行から六年が経ちますが、岸田政権になって名称も「デジタル田園都市国家構想」に変わり、地方創生は過去の政策になりつつあります。現在もいくつかの市町村で総合戦略策定のお手伝いをしていますが、デジタル向けの交付金活用が主たる議論になっていて、近視眼的に政策を転換することに危機感を持ちます。あらためて、地方が主役となって長期的な視野での安定的な地域政策づくりに挑戦していくことが必要になってきていると思います。

　私は団塊の世代と呼ばれる古い世代の人間です。村上先生のような、これから二一世紀を生き抜いていくことになる若い世代の方とは、将来に対する洞察の視点にも違いがあると思います。その違いから議論を深めていければという思いで、今日は意見交換させていただきたいと思います。

地域公共交通と鉄道問題を考える

小磯　最初に、人口減少時代の地方における地域公共交通政策、特に鉄道の役割について取り上げたいと思います。超高齢化社会が引き起こす二〇二五年問題が提起されています。私のような団塊の世代のほとんどが後期高齢者になって、医療、福祉、さらには交通問題が深刻になることが予測されています。交通問題については、これまで自動車に依存してきた世代が急速に公共交通に依存せざるを得なくなり、交通弱者が急増します。特に、地方における交通問題は、かなり深刻で地域政策として真剣に向き合う必要があります。

もともと日本において交通事業、特に鉄道事業は、民間が主体となりトータルで採算が成り立つ事業として安定的に展開されてきた歴史があります。阪急の小林一三のように、鉄道単体では儲からなくても、沿線開発と一体となって総合的な地域開発の戦略で事業経営していく手法を原型とし、ある程度集積のある地域では、順調に運営されてきました。しかしながら、規模の経済が成り立たない地方部では、事業としての採算性を確保することは難しく、一定の公共財としての位置付けが必要です。また、人口減少でその必要性がさらに高まってきました。しかし、これまでの日本における公共交通政策は、問題が出てくれば、そこを解決していくという後追い的な仕組みでした。

欧州では、鉄道政策を歴史的に公共政策として展開してきており、地域政策の観点からも参考になる点があると思っています。村上先生は鉄道にも関心があるので、留学時にフランスにおける鉄道政策について、どのように見ていたのか、日本との違いをどう感じていたのか、聞いてみたいと思っていました。

村上　まず、フランスの地方行政の三層制について確認しておきたいと思います。フランスでは日本の市町村に当たる基礎自治体がコミューンで、その上に県に当たるデパルトマンがあります。これは中心都市から馬に乗って一日で帰ってこられる範囲に設定されたそうです。その上に、州や地域圏と訳されるレジオンがあります。フランスの鉄道も高速鉄道(TGV)、レジオンの境界を超えて走る都市間急行、レジオン内を走る地域圏鉄道という三層構造になっています。そのなかで、日本で苦戦している地方鉄道と同等の地域圏鉄道に関し、乗客の満足度や鉄道運行の質の向上において良い成果を挙げている、との新聞記事を目にしたことがあります。

歴史的には、まずEU(欧州連合)レベルからの鉄道改革のプレッシャーがありました。一九九一年に「鉄道自由化により、新規参入事業者が鉄路や駅といった鉄道施設へ公平にアクセスできる環境を整備し、鉄道利用者にとって運賃がより安く、サービスのより優れた国内外鉄道事業者が新規に参入してくることを期待する」という指令が出ました。フランスは競争原理、成果主義、権限移譲といったポイントに整理できるこの新自由主義的な指令に対して、かなりしたたかに向き合ったのではないかと分析しています。

その一つが、国からレジオンへの運営権限の委譲です。これによってレジオンが鉄道事業者と直接交渉して条件を詰めて、サービス提供の協定を結ぶようになっています。協定締結に伴う鉄道事業者への資金はもともと国の資金であってもレジオンから支払われるので、レジオンが鉄道サービスの買い手として交渉力を発揮できます。沿線市町村が鉄道事業者と交渉しても単独では限界がありますが、レジオンは面積が広いこともあって迫力が増します。

　国からレジオンを介した公的資金の投入もあります。日本に比べるとかなり普通に公的資金がローカル線に投入されていて、それは単に地方鉄道維持だけでなく、EUの地域政策や自動車に依存し過ぎない社会づくり、すなわち環境政策としての趣旨も含まれています。

フランスと日本の地方行政組織

		フランス		日本	
国	人口／面積	約6,837万人 （2024年１月１日現在）／ 67万2,051㎢		約１億2,399万人 （2024年２月１日現在）／ 37万7,974㎢	
	中央	大統領制＋議院内閣制 地方機関あり		議院内閣制 地方支分部局あり	
地方行政組織		レジオン（州）	18団体（うち海外５） 平均人口380万人／ 平均面積3万7,336㎢		
		デパルトマン（県）	101団体（うち海外５） 平均人口67.7万人／ 平均面積6,654㎢	都道府県	47団体 平均人口263.8万人／ 平均面積8,042㎢
		コミューン（市町村）	34,935団体 （うち海外129） 平均人口1,957人／ 平均面積19.2㎢	市町村	1,718団体 平均人口7.2万人／ 平均面積220㎢

※外務省・総務省統計局・国土地理院ホームページなどをもとに作成

フランスは国鉄の組織改革で上下分離（運行・運営とインフラ管理の組織的分離）をしましたが、実際のところ運営上の不便が生じたことから、「上」を所管する子会社と「下」を所管する子会社を親会社であるフランス国鉄が統括する再編成をしました。あくまでも政府の責任として、手堅く対応しているわけです。今は都市間バスとの競争もありますが、場合によっては国の独立規制機関が許認可に関し地方鉄道への配慮もしているようで、国は競争原理が働く環境づくりに徹している印象です。

ご指摘のように、日本は民間事業者の存在もあって国が責任を放棄し過ぎた感があります。真の意味で市場メカニズムが働く環境づくりができていないのではないでしょうか。

ただし、フランスの地方鉄道には、季節運行や一定期間バス代行にしているところもあり、不便さもあります。日本的な感覚からすると、フランスの地方鉄道は使い勝手が悪いと言わざるを得ません。しかしながらそれにもかかわらず鉄路を残していることを考えると、フランスをモデルに何か考えていけないのだろうかと感じていました。

小磯　日本では国鉄の分割民営化をはじめ、事業採算の視点での議論が中心で、具体的には輸送密度という物差しで鉄道の存続を含めた検討が行われてきました。ヨーロッパでは、それだけではないようですね。

村上　日本の国鉄民営化時に輸送密度で鉄道を廃止していくことは、当時の社会の流れのなかでは仕方がなかった面もあると思います。日本がそこに舵を切ったことは、それなりに理由があったと共感するところもあります。

現在、フランスで輸送密度に加えて組み込まれている要素の一つは環境問題です。二〇二三年五月、フランスでは鉄道で二時間半以内という代替手段がある航空路線の運航を原則禁止する法律が施行されました。二酸化炭素排出削減が目的で、寝台特急が復活したりもしています。フランスとスペインの国境にそびえるピレネー山脈のふもとを走る路線にも乗ってきましたが、ちょうど駅舎を改修しているところでした。国の地域政策として、国境付近の整備に鉄道を絡めて取り組んでいるのではないかと考えました。

北海道の鉄道問題は切実ですが、鉄道そのものよりも鉄道に付随した要素、例えば環境のほか安全保障や国土管理の観点から、見捨てられた国土をつくらないという意味からも、ネットワークの視点で鉄道を管理する政策には意義があるのではないでしょうか。

小磯　地域開発政策の目的として、国境を管理する辺境政策は重要な視点です。また、地域の発展を考えていく上では、鉄道がネットワーク化されていることが大切で、そこは個々の路線の輸送密度だけでは測れないところです。特に、北海道は広域分散の地域なので、ネットワーク形成を果たす機能の視点は大切です。

新自由主義に対する考え方や対応、制度設計では、少なくとも交通政策において、日本とヨーロッパはかなり違いがありますね。

ところでフランスのレジオンは、地方自治体でありながら国の地方支分部局（出先機関）

の機能もあり、鉄道政策の上で重要な役割を担っているように感じます。

村上　レジオンやデパルトマンのプレフェ（地方長官）は国の任命で、国の出先機関としての性格があるのですが、執行機関として位置付けられている州議会や県議会の議員は地域住民の選挙で選ばれます。執行機関は議会と議長になり、プレフェはその議長や議員が進める政策を後見的にウォッチする立場です。その点で国、州、県というそれぞれの現場で、中央の論理と地方の論理が融合される仕組みになっているようです。鉄道については、確かにレジオンの存在感があり、運行密度や速度、運賃、路線などは州政府と鉄道事業者が交渉して決めています。

日本でも輸送密度という次元だけで議論するのではなく、どういうかたちで路線を残していくのかを公共も一緒になって考えていく必要があると思います。

小磯　日本では一九八七年に国鉄が民営化されましたが、同時に分割もされました。それから三七年が経過しましたが、北海道、四国など地方圏の鉄道経営には厳しさがあります。分割経営のねらいは、地域ごとの特性に応じて安定した経営システムを導入することです。地方において鉄道は、輸送密度だけでは計れない公共財としての役割があります。あらためて経営安定基金で地方圏の鉄道経営を支えるという分割時の制度設計について、時代の流れや、地域の特性、実情に合った見直しに向けた本格的な議論が必要でしょう。そこでは、公共交通としての役割から、自治体の支援、関与も含めた方向での検討も必要だと思います。フランスでレジオンが関与して、うまく鉄道経営が回っていることを聞くと、そのような思いがします。

村上　確かにレジオンはネットワークという、国としての広い視点を持ちながら、自治体の実情も反映するという、国と地方の両面を持ち合わせています。

日本の公共交通は補助金と規制の世界なので、国の関与が強く、そのなかで北海道庁が地方自治の観点から意見していくことはなかなか難しいでしょう。加えて輸送密度や利用者数で評価されるので、乗客がいなければそれが意思表示になってしまいます。

小磯　地方から声を上げるという点では、釧路在住時に地元市町村で組織した釧網本線利活用推進協議会の初代会長として、地元の皆さんと一緒に観光活用など、いろいろ工夫しながら取り組んだ経験があります。残念ながら、前向きな意欲は示せても、制度改革にまで結び付けるのはなかなか難しいのが実情です。

村上　フランスでレジオンが運営に関わる意義は、地方の事情をくんで議論ができることです。ただ、すべてを自治体に任せてしまうと、国が責任を放棄することになります。

小磯　私は、国鉄分割民営化の前に、国で特定地方交通線の廃止に向けた対応を担当していたことがあります。その時、勉強のために訪れたのが静岡県の大井川鉄道でした。大井川鉄道は日本で初めてＳＬを動態保存して運行させたことで知られていますが、寸又峡温泉などの観光地との連携や国鉄退職者がボランティアでＳＬ修理を担うなど、いろいろな工夫を積み上げながら鉄道を復活させていました。残すと決めた鉄道を存続させるために、あらゆる知恵を総動員して手段を尽くすという考え方が強く印象に残っています。ヨーロッパも尽きるところはそこではないでしょうか。

日本では国鉄の分割民営化を進める前に、特定地方交通線の廃止について政治的な判断がありました。輸送密度という一律の物差しで、北海道では約一五〇〇キロメートルの路線が廃止されています。それを前提に分割民営化が進められたのですから、残りの路線は存続していくという重い決断でもあったのです。今ある鉄路を残すための努力が必要だと感じます。そこでは、鉄道と観光の連携は大切な視点です。北海道の鉄道は観光資源として大きな魅力があります。

村上　二〇二三年から北海道庁の運輸交通審議会の副会長を務めていますが、インバウンド回帰以外の数少ない前向きな話題が、丘珠・中標津間の増便でした。本来競合するはずのANAとJALが連携して、集客に取り組んでいるとのことです。二次交通の重要な問題提起もなされていますが、広域分散の北海道では、鉄道や航空、バスという個別の問題ではなく、交通手段全体を結び付けながら考えていく必要があると感じています。

フランスの広域行政と地方分権

小磯　北海道で道州制の議論があった時に、私はフランスのレジオンが、目指すべき道州制モデルの一つではないかと思いました。レジオンの職員は、国の職員という意識なのでしょうか、それとも地方自治体の職員としての意識が強いのでしょうか。

村上　国に寄り過ぎることなく、地方に寄り過ぎることなく、中間的な意識ではないかと思います。仕組みとしては官選の地方長官と公選議会によって、抑制と均衡が図られているようです。

フランスでレジオンが際立つのは、県レベルのデパルトマンがあるからだと思います。北海道庁が道州政府になるにはデパルトマンの存在が必要です。現状から考えると、国の地方支分部局が地方に近づいたものがレジオンのイメージに近いと思います。地方分権というとデパルトマンやコミューンに権限を移譲することが目的と考えられがちですが、その第一歩はレジオンだったのではないかと思っています。

日本の基礎自治体は平均的にそれなりの規模があるので、良くも悪くも自治体内で機能が果たせています。一方で、フランスにはもっと小さな基礎自治体が多く、機能が不完全なために広域連携が進んでいます。大都市圏（メトロポル）という枠組みもあります。

現在レジオンは本土に一三ですが、メトロポルは二一あり、私が住んでいたボルドーもメトロポルを形成しています。コミューンとしてのボルドーの周辺にあるいくつかの小さなコミューンがまとまった、日本の連携中枢都市圏のようなもので、いろいろな権限をメトロポルに移譲しています。トラムやバスなどはボルドー・メトロポルが運営しており、圏域内にある一定規模以上の企業からは、従業員の給与総額の二%程度をモビリティ負担金として徴収しています。これは、メトロポル内で公共交通の受益者と負担者がかなり重なるため、可能な仕組みなのだと思います。国の資金も入ってはいますが、メトロポルで対応できるものはメトロポルが担当し、それ以外はレジオン、さらには国が対応するなど、フランスの役割分担は参考に値するように思います。

レジオンは、コロナ禍の危機対応でも存在感を発揮しました。ロックダウンなどの重要事項は大統領の下で防衛評議会の枠組みを使ったコロナ科学評議会が決めましたが、具体的な実施はレジオンが担っていました。

フランスでは公衆衛生は国の責任であると法律に明記されていて、二〇〇〇年代に入って国が全国目標を立てて、県より上（広域）のレベルでそれを計画的に実施していくという意味での分権化が進みました。国が設定した公衆衛生の政策目標達成に向けた取り組みをレジオンで調整することで、各地域特有の政策課題対応が中央集権と地方分権のバランスのなかで進められます。レジオンを核とした公衆衛生は、二〇一〇年に公立・私立病院を一括でコントロールして医療を確保する機関を統合し、域内の公衆衛生・保健医療政策を推進するレジオン保健庁（ＡＲＳ）が担っています。

ＡＲＳは病床や通常診療の調整、医療人材の配置、患者移送の官民調整を担うとともに、中央の連帯・保健省に報告をする立場にあり、国の出先機関、医療保険組合、地方自治体なども一緒になって財源を調整し、公衆衛生計画を実行しています。コロナ禍ではその仕組みがかなり有効に働きました。県レベルで感染者数と病床数をモニタリングし、レジオンで県レベルの凹凸を均す役割を果たしていました。有事にはまさに国の機関としてレジオンが機能し、プラグマティックな「領域」の使い方をしていたとも言えます。実態についてはさらなる調査が必要ですが、レジオンを核とした公衆衛生や交通政策の展開は参考になると思いました。フランスでは一九八〇年代のミッテラン政権以降、国の出先機関が担っていたものを含めて、中央の仕事を地方に移管しています。

地域活性化の視点からは、国が任命したプレフェが自治体の活性化委員会に出席して、国の代表として自治体と協定を結ぶという仕組みになっている点も注目されます。その点ではボトムアップですが、二〇二〇年一月以降は、領土結束のための政府機関、地域結束国家庁（ANCT）がフランス全土のコーディネーター役となり、全国的な技術委員会や情報センターの機能を担っているそうです。完全に自治体の責任にするのではなく、国が技術面をサポートする体制で、これも一つの参考になると思います。

インフラ老朽化問題

小磯　村上先生とは、北海道庁の社会資本整備の重点化方針策定の検討会でも一緒に社会資本整備政策を議論しました。検討会では、これまで個別分野で進められてきた社会資本整備について、縦割りの壁を超えて、限られた財源をどこに重点化していくかという、難しいテーマに挑戦しました。

村上　検討会はとても思い出深いですが、今後それがどこまで予算や実務に反映されるのかを注視しています。検討会ではインフラの多目的化・多機能化というキーワードが出ましたが、極めて重要な視点です。北海道は広域分散であるということ、さらに気候変動の影響なのか自然災害も増えていて、それへの応急対応では妥協が許されないので、社会資本整備の「選択と集中」がしっくりこないようにも感じます。安易には「選択と集中」に舵を切れない独特の難しさがあり、均衡ある維持管理と「選択と集中」の折り合いをどのように考えるかがポイントだと思っています。

小磯　これからの社会資本整備政策で、大きな問題がインフラの老朽化です。人口減少や地球温暖化の問題と似ていて、いつかその問題が大きくなることはわかっていても先送りされてきました。人口減少はようやく正面から議論されるようになり、脱炭素も避けられない状況ですが、インフラの老朽化問題はまだ先送りのままです。

アメリカでは一九三〇年代のニューディール政策以降、集中的に投資されたインフラが七、八〇年代に悲惨な事故を起こし、インフラクライシスと言われました。その事故を契機にガソリン税を増額して財源を確保するなどの対応が講じられてきました。日本でもこの問題は深刻です。これからの日本を支える若い世代にとっては、避けて通れない問題になってくるでしょう。

村上　地方創生では「消滅可能性自治体」というキャッチーな言葉を掲げたことがアジェンダ設定に有効でした。

インフラクライシスについては、二〇一二年の笹子トンネル天井板落下事故のインパクトが大きかったですが、あれほどの事故でも起こらない限り関心が高まらないという難しさがあるように思います。イタリアの橋が落ちた映像もショッキングでした。フランスでも私の滞在中にマルセイユで共同住宅が突然倒壊して人命が奪われたのですが、自治体の管理責任に矛先が向いて、単発的な議論に終わりました。いかに関心を保ち続けるかが大きな課題です。

インフラの維持管理には莫大な資金が必要で、予算をどのように振り分けるかも問題です。広い意味での受益者負担の考え方を組み入れて、更新すべきものはする、しないものは使わないという整理ができないのかという思いがあります。潤沢な資金を注ぎ込める右肩上がりの時代は終わりました。交通に関しても環境に関しても、右肩上がりを前提とした国のあり方、国と地方の関係性を見直す転換期が少し前にあったはずです。もう、右肩下がりに対応した国と地方の関係性、ユーザーや受益者の負担のあり方を考える時代になっています。それをベースに、インフラクライシスについても考えていくべきです。

小磯　右肩下がりの時代のあり方を正面から議論していくことの難しさを感じます。そこは、私のような団塊の世代の発想と、村上先生のような人口減少で高齢化が進む成熟の二一世紀を生き抜いていく世代の視野の違いではないかとも感じます。我々の世代は、敗戦から這い上がって、人口も増え、良くも悪くも成長の時代を生き抜いてきました。しかし、そこで構築された制度や仕組みの一部はいずれ淘汰されるべきものもあるはずで、そこに目をつぶってはいけないと思います。インフラについても同様で、そこに向き合う議論を早めに進めていくべきだと思います。

私が初めて国の政策マンとして人口減少問題に関わったのは一九七八年でした。第三次全国総合開発計画策定後、中長期の課題を検討するなかで、当時出生率が二を切ったことで政策担当者に危機感が生まれ、将来の人口減少に備えた議論をしたことがありました。人口統計は長期的な推計が明確に示せるのですが、これまで政治的なイシューにはならず四〇年以上も先送りされました。インフラ老朽化対応もアジェンダ設定を待っていては遅いと思います。

地方からの科学技術・イノベーション

小磯　村上先生はもともと科学技術・イノベーション政策が専門で、北海道の試験研究機関の役割についても研究されています。

村上　私は特に、戦後の科学技術予算の動きに注目してきました。戦後日本の経済成長は政府がリードしてきたゆえに可能になったのか、それとも民間が賢かったからなのか。予算を見て、どのような官民関係が世界でまれに見る日本の経済成長を実現したのかを探ってきました。

戦後日本の科学技術政策において、政府は確かに行政指導をしてはきたが、民間に資金提供することによって直接的な介入をしてきた（もしくはそうした介入ができた）わけではなかったのではないか。国は行政指導によって民間を完全にコントロールできていたわけではなく、むしろ民間の頑張りが大きかったものと私は考えています。

なぜ今、日本の科学技術・イノベーションが期待通りに進まないかというと、一つには、民間の中央研究所が一九九〇年代以降の不景気で閉鎖せざるを得なかったことが大きいと言われています。民間が頑張ってきた科学技術・イノベーションはその後停滞しています。日本の科学技術は民間依存で、その点では小磯先生がおっしゃった鉄道と同じなのかもしれません。旧科学技術庁の資料から、研究開発費の割合は一目瞭然です。政府拠出分が日本では一七％ほどですが、フランスは三〇％くらいです。日本は研究開発費の七〇％以上を民間が出していて、いかに民間が引っ張ってきたかが明白です。

それは地方の科学技術に関しても同様だったのではないかと考えました。民間主導の前提を置くと、電力や通信などが科学技術を牽引してきたと推察され、その連携先は地方大学の理系学部だったのではないか。ただし、地方の中小企業にとって大学のハードルは高く、そこで出てくるのが北海道立総合研究機構（道総研）のような、かつての地方公設試（地方自治体が設置した試験研究機関）です。

科学技術を所管する中央官僚は、地方公設試は電気製品の安全性などを試験・認証していたに過ぎないと考えている節もありますが、実際には、大学が拾いきれないテーマをすくい上げてきました。もちろん都道府県の付属試験研究機関としての役割も大きく、北海道では例えば、それまで「猫跨ぎ米」と呼ばれていた道産米を、その研究成果によっておいしく成長させました。フィンランドや、フランスとスペインの両国にまたがるバスク地方では、日本の地方公設試に当たる機関が大学とともに産学官金連携の核になってきた歴史もあります。

日本では一九九〇年代後半から二〇〇〇年代にかけて、国が技術開発や実用化志向でこの部分の改革を推進し、行革の流れもあって地方公設試は地方独法化されました。北海道庁も九〇年代は行政改革で人員削減を進めましたが、道総研は地方独法化することによって人員削減の波の直撃を回避することができたようです。当事者にそこまでの思惑があったかは不明ですが、実際に道庁ほどの急激な人員削減にはなっておらず、農業や寒地技術分野における貢献が大きい道総研は組織防衛ができたのではないかと考えています。

また、以前はあくまでも道庁の付属機関であり、道知事の下で動くしかなかったのですが、地方独法化後は良くも悪くも自由になりました。そこで自らのミッションを再定義し、利害関係者や地元産業界のニーズを吸い上げて成果を挙げる必要が出てきました。

研究開発機関に関しては研究開発と法人経営という二つの評価軸がありますが、一方の論理をもう一方に持ち込むと、矛盾や衝突をすることもあることから、その関係性を整理する必要があります。純粋に研究開発をしている人たちの評価と、法人としての経営評価は本来別物です。法人経営の視点を持ち込み過ぎるとそれが研究開発に漏れ出してきて、研究開発に携わる人たちが評価活動に忙殺されることがあると聞きます。この点、道総研では研究開発と法人経営のそれぞれに理事を置き、両者を尊重しつつコミュニケーションを保つことで関係性が整理されています。

昨今のヒグマの事故でも道総研が活躍していて、地方における研究開発機関の役割は小さくないと感じます。海外の例からも、道総研のような機関が核になって地方の科学技術・イノベーションを担う可能性が大いにあることを感じています。

小磯　これからの地域独自の政策構築に向けて、地方発のイノベーションという視点からは、地方の試験研究機関の役割は重要だと思います。特に、道総研は研究機能の総合性において、また歴史的な地域開発政策との融合性においても優れたものを持っています。

私も道総研との関わりは長く、地域のために役立つ道総研に、という要請を受けて、独法化で設置された経営者諮問会議の委員に当初から就任してお手伝いをしてきました。特に、初代の丹保憲仁理事長から強く相談を受けたのは、どのように地域の課題解決に道総研として一体的に向き合い、発信していくかということでした。これだけ大規模で総合的な地域の研究機関は道総研だけです。府県とは規模が違う上、異分野間の試験研究機関を統合しているので、地域の課題解決に向き合っていけば強力な地域政策支援機能を発揮できます。独法化直後は縦割りでしたが、地域の困りごとに地道に向き合う過程で異分野間のコミュニケーションが生まれ、着実にそのミッションを進化させてきているように感じます。

道総研には、戦前の旧内務省北海道庁試験研究機関の流れをくむものが多くあり、その伝統として貫かれている思想の一つが寒地技術だと思っています。寒い地域でどうすればおいしいお米ができるのか、寒いところでどのように快適に住めるのか、そのための防寒技術は何かという問題意識からイノベーションが生まれ、技術が培われてきました。例えば、一九五三年に北海道防寒住宅建設等促進法が制定されています。なぜ北海道にだけ特別な住宅建設の法律ができたのでしょうか。その理由は、建築研究所が戦前から寒地住宅の研究を進め、北海道庁が独自の寒地住宅の建設支援政策を実施していたからです。寒地技術研究と北海道独自の住宅政策が融合した実績があったから、独自の法律ができたのです。このような伝統がおいしいお米を生み出す研究にもつながっていると思います。その伝統を生かして、今後も地域の課題を解決するイノベーションを生み出していってほしいと思っています。

村上　日本では科学技術とイノベーションを一体的に捉えていますが、海外には科学技術とイノベーションを分けて考えている国もあります。科学技術は宇宙、原子力、海洋などのいわゆるビッグ・サイエンスが直接的な対象です。他方でイノベーションに関しては、地域や現場のニーズをくんで、科学技術の力を借りて社会課題を解決していくということが大切で、道総研にはその一翼を担うことが大いに期待できるように思います。

政策人材の育成と大学の役割

小磯　これからの地域政策の展開において、地方大学の役割は重要です。しかし、大学は東京圏に集中しており、全国から若者を吸引する構造が人口減少を加速させる構造的な要因にもなっています。人口比一〇%の東京都に二六%の大学生が集中しています。高等教育政策を市場メカニズムに委ねてしまった結果の歪みとも言えます。それだけに、地方大学が地域の活性化や地域政策に積極的に関わっていくことが重要です。私は、二〇二三年四月から北海道文教大学に設置された地域創造研究センターで活動を始めていますが、地元の恵庭市と一緒に、政策力形成に向けた地域人材の育成を心掛けています。自由でしがらみに捉われないアカデミズムの場で、創造的な政策に向けた議論に参加することで、自治体職員をはじめ地域人材が育ってくれることを期待しています。

　フランスでは大学が政策を担う人材の育成に力を入れる伝統がありますが、最近はどのような状況でしょうか。

村上　フランスで所属していたボルドー政治学院はグランゼコール(テクノクラート養成校)の一つで、国立行政学院（ＥＮＡ）と同じく人材育成の側面が強いと思います（ただし、Ｅ

NAはエリート主義の弊害を生むという批判から、二〇二一年末に廃止されてしまいました)。学部卒業後、さらに専門的に学ぶ場であり、自治体の職員や国の官僚を目指す活発で優秀な学生が多かったと思います。

小磯　東大生の官僚離れが進み、優秀な人材が外資系コンサルに就職していると聞きます。

村上　優秀な人材の官僚離れが進むと、将来どうなってしまうのかという危機感があります。今は良くも悪くも政治主導で、官僚志望が減っている理由には政治の影響も少なからずあるのではないかと考えています。同世代で官僚から転職した友人からは、政治からのミッションに応えるべきとの要求が強いあまり、自分の専門性を高める余裕がなかったとも聞きました。

小磯　霞が関に身を置いた経験から言えば、官僚の醍醐味は政策形成に関与できることです。それが妨げられている状況があるとすれば、政治の劣化が背景にあるのではないでしょうか。

村上　国民にも顧みるべき点があると言わざるを得ません。メディアの論調に引きずられて官僚批判ばかりをしていると、将来自分たちの首を絞めることになりかねません。法学部や公共政策大学院の教員として、公共のため、地方のため、国家のためという考え方は古いのかもしれませんが、社会に貢献できる人材を育てることは重要な使命だと思っていて、講義や演習でも心掛けているところです。

ラピダスの立地

小磯　最後になりますが、公共政策で主に科学技術分野を研究してきた村上先生は、北海道におけるラピダスの立地について、どのように受け止めているのか、聞かせてください。

村上　戦後日本の科学技術が基本的に民間主導だったという話をしたところですが、ラピダスもトヨタやNTT、ソニーなどが出資しているので、構造的には同様だと思います。今後は国がどのように継続的に関わっていくのかがポイントではないでしょうか。ただ、硬直的なかたちで関わると、技術の進歩に柔軟に対応できず、陳腐化するということも起こり得ます。この一大プロジェクトがうまくいかなかったときの怖さもあり、過去の国家的プロジェクトの失敗から学ぶ必要があります。現時点でも日本は半導体技術開発で大きく出遅れていると言われているなかで、キャッチアップしキープアップもできるのか。人材確保の問題もあります。

日本で民間の中央研究所が閉鎖されたのと同じ現象が、以前にアメリカでもあったのですが、そこの技術者はうまくベンチャーに異動することができ、それがイノベーションにつながったと言われています。日本はそれが成功しませんでしたが、各所で活躍していた技術者がラピダスの研究開発や人材育成に関与できれば、いい動きになっていくのかもしれません。外国人技術者に視野を広げると、経済安全保障と人材確保を調整する視点も必要かと思います。

小磯　ラピダス立地の背景にはグローバルな経済安全保障をめぐる環境の変化がありますが、裾野の広い最先端の製造業が巨大な投資を進めるという動きは、北海道にとっての大きな追い風です。戦後北海道の経済活性化に向けては製造業の誘致が悲願でしたが、これまで思うようには進んでいませんでした。それが今になって、国が主導する最先端の製造業が立地するという動きが現実に出てきたわけで、それにどう向き合っていくかは大変重い命題です。

今後、北海道にとって大切なことは、ラピダスを中心に北海道に進出する民間企業、研究所、人材などを含めて、安定的に支えていくための総合的な立地環境づくりをどのように進めていくかです。この機会に、北海道に集う人々が快適に生産活動に関わり、生活を送っていけるような、幅広い総合政策を北海道、市町村が担っていく必要があります。今回のラピダスの立地を契機にして、次世代の人々にとって魅力ある北海道をつくり上げていく大切な機会として、前向きに受け止めることが大切でしょう。そこでは、既存の政策の枠組みを超えた発想、政策手法が必要です。土地利用も、これまでのような人口減少を前提にした発想からの転換が必要です。政策手法も特区や道州制特区法の活用など、今ある制度を最大限に活用する思い切った議論が必要だと思います。

ラピダスの小池淳義社長は、「北海道バレー構想」を提起していますが、その具体化に向けては、戦後の半世紀にわたる道央地域の開発の系譜をたどって、その経験と蓄積を生かしながら進めていくことが大切だと思います。

戦後日本の高度成長期の一九六〇年代に、新産業都市という、工業の地方分散のための拠点開発地域として選定されたのが道央地域でした。まさに「北海道バレー構想」の対象となる地域です。昔は原野であった苫小牧に、当時としては画期的な掘り込み式の港湾をつくり、七〇年代になると石狩湾と苫小牧東部地区にも新たな港湾と工業団地の整備を進め、さらに八〇年代後半には自衛隊との共用空港であった千歳空港に民間専用の新空港をつくるなど、長い時間をかけて拠点機能を高めていきました。その間、オイルショックなど、経済環境の変化の下で頓挫や計画変更など、多くの苦難がありましたが、それを乗り越え、オリンピックを契機に飛躍的に発展を遂げた札幌を核に、現在の道央圏が形成されました。これらの基盤の上に「北海道バレー構想」をどのようなかたちにしていくのか、まさにその構想力が問われています。そこでは、戦後北海道の長期的な視野でのプランニングやプロジェクト推進の手法など、先人の経験を生かしながら、次世代につないでいく姿勢が大切だと思います。

今日は、幅広い視点で意見交換をさせていただきました。これからも引き続き、斬新な発想で研究活動を進めて次世代につないでいってほしいと思います。ありがとうございました。

小磯修二

新たな潮流に向けて

1　対談を終えて

本書での対談は、地域政策を研究する者として、政策をめぐる動きや変化をどのような視点と手法で新たな政策につなげていけばいいのかを探る刺激的で、楽しい旅でした。このような多くの方々との対談は初めての経験でしたが、専門的な知識、情報に接するだけでなく、地域政策に関する新たな発見や多角的な見方を得ることができました。一つの事象に対してもさまざまな背景や関係性があることをあらためて理解し、地域課題の解決に向けた政策のアプローチの幅が広がっていくようにも感じました。

異分野の専門家に話を聞くのは大変緊張するものですが、深い知識と分析力による迫力のある話を直接対面で聞けたことは醍醐味でした。対談の魅力は、ある事象について専門家の口から深い洞察によって解釈され、新たなストーリーとして語られることです。そこから伝わってくる論旨は新鮮で、より説得力を持って伝わってきます。もちろん限られた時間ですから体系的な理解には限界がありましたが、本書のタイトルでもある「地域政策の新たな潮流を探る」という趣旨に沿った、これまで気付かなかった発想、アイデアを得られる貴重な機会となるとともに、学究的な探求、理論的な洞察が政策形成に欠かせないことを痛感しました。あらためて対談にご協力いただいた皆様には感謝申し上げます。

グローバル化にどのように向き合っていくのかは難題です。ロシアのウクライナ侵攻、中東でのパレスチナとイスラエルの衝突など不安定な情勢変化が続いており、解決の見通しも不透明な状況です。また先端半導体をめぐる激しい国際競争の動きのなかで、北海道では突然ラピダスの進出が決まり、地域政策をめぐる環境にも大きな変化が出てきています。米国での長い研究活動や世界中の研究者と交流されてきた藤田先生のグローバルな視野での思考と発想こそが、地方の潜在的な可能性を引き出していくために大切であることを痛感しています。また、食料安全保障が直近の食料・農業・農村基本法改正の最大のテーマとなっているという中嶋先生からのお話からは、グローバルな戦略でローカルの力を発揮させていく視点が大切であり、北海道にはその可能性が十分あることを感じました。

地域政策のさらなる深化に向けては、分権の視点が欠かせません。特に政策を担う自治体の権限、役割についての洞察が重要です。山崎先生とは長く一緒に活動してきましたが、幅広い経験と内外の最新の動きを踏まえた鋭いご提言をいただきました。村上先生からは、在外研究されていたフランスの現状、欧州との比較や、科学技術政策の観点など、新鮮な視点でのご意見をいただきました。

これからの地域政策の展開に向けては、地元大学との連携が重要であり、そこでは自治体の側から明確に意思を伝えていく姿勢が必要という高岡市長を経験した橘先生の指摘には強く共感しました。また、ビジョンと目的を明確にし、その実現に向けて汗をかいて説得していけば政策を実現することができたという北海道開発庁で橘先生と一緒に実践した「権限なき調整」は、自治体の皆さんに伝えておくべき貴重な経験だと感じています。

人口減少時代に地方が自力でどのように活性化し、成長していくのか。そのための重要な政策分野として、文化政策、観光政策があります。小林先生との対談では、文化政策が幅広い地域資源を生かした活性化政策につながる可能性があることを示していただき、何とか北海道でも実践したいという思いで、恵庭市をフィールドに挑戦を始めています。観光政策では、塩谷さんと釧路地域で長く一緒に活動してきましたが、その経験も踏まえながら、外から稼ぐ重要な産業の視点で政策展開していく大切さと手法について議論を深めていくことができました。

地域をめぐる新たな課題として「働き手不足」があります。そのテーマに真剣に向き合うには、地域政策として雇用の領域にどのようにアプローチしていくのかという難しい壁がありますが、社会保障と雇用を結び付けた視点で先駆的な提起をしておられる宮本先生のお話は、大変刺激的で、多くの示唆がありました。

今後の地域政策の展開に向けて、民間企業との連携は欠かせない重要なテーマです。それとともに、地方をベースに活動する企業経営者の発想、思考、戦略に学ぶべき点があることを痛感したのが、丸谷会長と大槻会長との対談でした。地域との運命共同体である地域企業がどのように生き抜いていくのか。その真剣な洞察力と戦略のなかに、これからの地域政策の潮流を探る少なからぬ手掛かりを発見できたように感じました。

これからの時代を見通すことは大変難しく、誰もが経験していない人口の減少、超高齢社会、働き手不足などに加え、混沌とした世界の不安定な秩序が避けがたい現実としてありますが、目を背けてはいられません。

最後に、私自身のこれまでの活動を振り返りながら、新たな潮流のなかでどのように地域政策に向き合っていけばいいのか、いくつかの視点から考えていきたいと思います。

2　歴史的文脈からの理解と洞察

地方創生の教訓

本対談を通じて感じたことの一つは、地域政策について長期的な時間軸の視野で理解し、その経験を生かすことの大切さです。これからの地域政策の展開の方向を探る上で、歴史的な文脈での理解と洞察は欠かせません。特にそれを痛感したのが、地方創生の経験です。

地方創生がスタートして一〇年ほどが経過しましたが、簡単にその政策を振り返ってみたいと思います。一九九〇年代以降、しばらく国は本格的な地域政策を示してこなかったのですが、二〇一五年に安倍政権で地方創生の取り組みが始まりました。地方創生が始まった契機は、二〇一四年五月に日本創成会議により発表された、全国で半数近い市町村が消滅の可能性があるというレポートです。北海道でも八割の市町村が消滅可能性の対象であることから、大きな反響を呼びました。もともと人口問題に対する危機はこれまでも多く提起されてきましたが、減少を前提にした真正面からの政策議論は先送りされてきました。若い女性が出生率の低い東京へ人口流入することにより、深刻な人口減少の負のスパイラルが生じているという日本創成会議による問題提起は衝撃的でした。本格的な人口減少問題に対して東京一極集中構造の是正という地域政策としての対応を迫るもので、地方創生については、久しく途絶えていた骨太の国土政策が復活するのではないかという期待もあり、大きな関心を持って見てきました。

しかしながら、現実には地方創生において国から、首都機能分散等の一極集中構造の是正を目指す骨太の政策が示されることはほとんどなく、さらに出生率の低下に歯止めをかける本格的な人口減少政策もないまま約一〇年が経過しました。対談でも、村上先生は、「残念ながら短期的なブームで終わってしまった感があります」、山崎先生からは「あたかも地方が自己責任的に頑張れば何とかなるというような幻想を振りまいた」と厳しい指摘がありました。私は当初から多くの自治体の地方創生の総合戦略検討会議に参加していますが、交付金使用や数値評価手法などの細かい点について、国からの厳しい注文は多いのですが、人口減少そのものに向き合う国の姿勢や政策はほとんど示されませんでした。また国からの支援施策も期待はずれで、地方創生への地方の関心は急速に低下しています。

「失われた一〇年」という厳しい評価もなされていますが、私はその大きな要因の一つは、「国土政策の断絶」だと感じています。それまでの国土政策の丁寧な検証や考察を欠いた、言葉が先行した施策だったように思います。当初は、「消滅」という刺激的な言葉、「まち・ひと・しごと」という新鮮な言葉が躍り、石破茂担当大臣らの政治メッセージが加わったこともあって大きな関心を集めました。しかし、期待された交付金も使い方に細かく注文が入るなど、従来の補助金政策に近い平凡なものでした。また、人口問題への対応も、自治体間の人口の奪い合いという図式でした。人口減少問題、東京一極集中構造の是正という深いテーマに国が責任を持って向き合うためには、これまでの政策をしっかり検証し、進化させていく姿勢が欠かせません。過去の政策を検証することは、理念的な整理ではなく、歴史的な政策の流れについて、その失敗の要因や背景を実証的に丁寧に探りながら克服の道筋を探っていく地道な取り組みです。そこでは先人の知恵に学ぶという謙虚な姿勢が大切でしょう。

小林先生との対談でも触れましたが、私は七〇年代末に大平正芳総理が示した国家ビジョンである「田園都市国家構想」をどのように政策展開していくかを考える現場に、全総計画の担当として参加していましたが、みんなが総理の理念と思いに向き合っていく強い熱気を感じました。政治リーダーの強い信念が、新しい政策構築に向けては欠かせません。また、八〇年代の竹下政権当時には、国務大臣秘書官としてふるさと創生の現場にいましたが、国が一切口出しをしない交付金、首都機能移転への意欲など、総理自らの強い決意を感じさせる政策でした。政治リーダーによる人口減少、東京一極集中是正に向けた強い意志と決断があれば、地方創生の様相は違っていたのではないかと感じています。

ここで簡単に、戦後の地域政策の系譜について、国土政策、地方主導の政策形成の動き、さらに北海道特有の開発政策の視点から振り返ってみます。最初に、地域政策の意義について考えていきます。

地域政策とは何か

地域政策についての明確な定義はありませんが、ここでは地域の開発、成長、活性化に向けて、国や地方自治体が進める総合的な施策を地域政策として考察していきます。

国一丸となって高い成長を目指していく時代は、効率を重視し、国が主導しながら早いスピードで政策を進めていくことが有効でした。しかし、人口減少の成熟国家となって、より生産性の高い国づくりを目指していくためには、固有の伝統や独自の手法を認め合いながら、多様な発想で、地方自治体が主体となって地域政策を進めていくことが大切です。対談においても多くの方がその点では同じ認識でした。しかし、現実には地方自治体が主体となって地域政策を進めていくためには高い壁が多くあります。地方自治体の独自予算には限界があり、多くの場合は国の財政支援を前提に政策を進めていかねばなりません。そこでは国の関与が少なからずあります。しかし、地元地域の意向をくみ取る仕組みを有効に生かせば、地域主体の政策となります。地方にとっては、国の示す政策手法の長短を理解して、うまく使いこなす力が求められます。

もちろん、長期的な国土政策については、国が主体的に方針を定め、基幹的な事業は責任を持って進めていかなければいけません。しかしながら二一世紀になってからは、長期的な視野で次世代につなぐ本格的な国土政策が国から提起されていないことが気になります。「地方分権の時代だから地域に任せる」という安易な思考で、本来国が果たすべき国づくりの理念を示していく営みまでを放棄してはいけません。一方で、補助金配分権を根拠に、細かい計画策定指示によって地域を競わせるような手法が広まってきていることも気になります。

地域政策は、国と地方による複層的な総合政策であり、それぞれの役割分担を明確にしながら、信頼関係に基づいて、その責務を果たしていくことが大切です。あらためて歴史的な流れのなかで、相互の役割を考えていきたいと思います。

国土計画の系譜

戦後日本の地域政策は、一九五〇年の国土総合開発法制定に見られるように、国による積極的な地域開発としてスタートしました。特に一九六〇年代以降、経済成長の果実が一部地域に偏在し、地域間格差が拡大する問題に対処するため、国土の均衡ある発展を目指す政策が重視されました。この背景には、高度経済成長期における太平洋ベルト地帯への産業集積と大都市圏への人口流入により、国土のバランスが崩れたことがあります。この問題に対応するため、政府は気鋭の経済学者を集め、実証的なデータ分析に基づく政策立案と、地域間格差の解消を目指す政策議論を進めていきました。

具体的な政策手法として、国土総合開発計画の策定や新産業都市建設促進法等による拠点開発政策が推進されました。これらの政策には、特定の地域への投資を通じて、周辺地域への波及効果を期待する地域科学理論が大きな影響を与えています。その後、均衡ある国土の発展を目指した国土総合開発計画は、日本列島改造論や田園都市国家構想、ふるさと創生など、政治リーダーによる国家ビジョンとも強く連動していきながら、政策として高い関心を集めていきます。

しかし、一九八〇年代の後半になると、新自由主義の理念に基づく政策が潮流となり、規制緩和や民営化が強く進められ、国土政策は次第に重要視されなくなりました。特に中曽根政権以降、その後の小泉政権や民主党政権も含めて大都市重視の小さな政府を目指す政策が続いていくなかで、国土政策はその優先度を徐々に失っていきました。そして、二一世紀に入り、中央省庁再編によって国土庁や北海道開発庁が廃止・統合されたことで、国土政策の担い手が次第に減少し、地方自治体においても地域政策のプランナーと言われる人たちが減っていきました。長期的な視野から国土政策、地域政策を担う人材が、政策の現場から徐々にいなくなったことが先述の「国土政策の断絶」につながっているようにも感じます。

地方からの主体的な動き

ここまで、国の地域開発政策について概観しましたが、この間、地方においても地方発の独自の地域政策を展開する動きが出てきます。一九七〇年代に入り、高度経済成長に伴って環境問題、公害問題が大きな社会問題となり、革新首長が各地で誕生しました。「地方の時代」と言われるように、独自の政策提起の動きが出てきます。小林先生との対談でも当時の革新的な自治体において、特に文化行政の分野で、独自の動きが出てきたという話題がありました。

そのなかで地方主体の産業政策として、よく知られているのが一村一品運動です。八〇年代に政府がテクノポリス政策を進めた前後から、安易に政府の政策に頼って産業活性化を図っていくのではなく、地域の内発的な力によって地域の資源を活かしながら地方の活性化を図っていこうという潮流が出てきます。その代表的な取り組みが大分県で始まった一村一品運動です。提唱者は、通産官僚から大分県知事に転身した平松守彦氏です。彼は知事になってから皮肉にもテクノポリスの指定など、東京への陳情の多さに驚き、「中央集権の壁は厚く、地方からの東京詣では、徳川時代の参勤交代よりももっと頻度が高くなっている」現状を憂い、地域は地域なりに独自の産業、文化形成を目指して、自主的な地域づくりを行っていくことが必要だと、一村一品運動に取り組みました。一村一品運動は、官製依存ではない、主体性を持った地域政策のモデルとして多くの地域に影響を与えます。地域の活性化に向けて、国から与えられた処方箋ではなく、自らの創意、工夫で挑戦していくことの大切さを知らしめた点で、その意義は大きいと言えるでしょう。

北海道では、すでに池田町の十勝ワインが一村一品運動の先駆けとして取り組まれていました。池田町がワインづくりに取り組むきっかけは、一九五二年の十勝沖地震でした。災害に冷害が重なって池田町は赤字再建団体となり、その危機的状況のなかで、地域の住民に夢とロマンを与える産業振興策としてワインづくりに挑戦したのです。国からの支援が期待できないという、どん底の状況からこのような内発的な動きが出てきたということが大切な教訓だと思います。

ちなみに、ワインづくりに取り組んだ当時の丸谷金保町長は、セコマの丸谷会長のお父さんです。当時生まれた内発力の伝統が、地域に根差したセコマの経営哲学に引き継がれているように感じます。

北海道開発政策の伝統

ここで、北海道の開発政策についても簡単に触れておきたいと思います。北海道開発政策は国土開発政策と異なる系譜があります。現在の北海道開発政策は、一九五〇年に設立された北海道開発庁により進められ、二〇〇一年の中央省庁再編により、国土交通省北海道局に引き継がれていますが、北海道開発政策を理解するためには、明治政府の近代国家建設以来の一世紀半の歴史的な流れのなかで理解することが重要です。

例えば、北海道開発政策の特徴として、独自の予算調整制度があります。戦前には内務省北海道庁に拓殖予算制度がありました。これは、長期の開発計画で掲げた目標達成に向けて、北海道で得られた収入を地域開発に再投資していこうという自賄主義とも言うべき開拓の伝統的な政策理念に基づいています。戦後は、GHQによる内務省解体を経て、各省庁間での拓殖予算の奪い合いがあり、北海道開発庁は事業実施権限を持たず、予算調整のための一括計上システムが導入されました。このシステムは、長期の総合開発計画と単年度ごとの予算機能を組み合わせることで「予算の見える化」を実現し、特定地域における安定的な投資効果を得る手法で、北海道で初めて採り入れられた独自の政策手法です。この手法は、復帰後の沖縄開発や東日本大震災後の復興にも応用されています。復興庁創設にも関わり、復興副大臣を二度務めた橘さんは、対談で復興庁は「北海道開発庁の進化版」と表現しています。

また、この自賄主義による政策手法は、戦前の台湾統治にも適用され、収奪的なヨーロッパ型の植民地統治と異なる、融和型の近代国家建設手法として評価する研究者もいます。私は、現在の台湾の親日、親北海道意識の背景にはこうした融和型の統治の歴史があると感じています。このように、北海道には、長い歴史のなかで形成された独自の政策手法の伝統があるのです。そこを理解した上で今後の地域政策を考察していくことが大切でしょう。

ここまで簡単に戦後日本の地域政策を振り返りました。国や地方自治体によって進められてきたさまざまな地域の成長、発展に向けた取り組みがありますが、その原点は、敗戦によって国土の四五%を失ったわが国が、荒廃した国土を復興しながら、限られた国土をどのように活用して国の経済発展と豊かな地域社会を形成していけばいいのか、真剣に考えた先人による挑戦であったことを忘れてはいけないと思います。不透明な時代に、次の世代につなぐ地域政策の展開は難しい命題ですが、先人の経験に敬意を払い、歴史的な文脈のなかに手掛かりを得ることも大切です。

3　内発的な成長戦略

地域資源の再認識

二一世紀に入って四半世紀が経過しますが、マネーフローの動きをみると、地方圏から首都圏への資金流入はさらに拡大しています。もともと地方は、大都市地域に比べて経済的なハンディがあり、ヒトやモノ、カネは大都市に集積し、それがさらに集積を呼ぶというメカニズムで格差は拡大していく構造にあります。地方は少ない人で多くの国土、空間を支えていく責任と役割があり、その格差を埋め、バランスを取ることを目的に、戦後は国土政策が展開されてきました。しかし、今後は国から明快な処方箋をもった政策が展開されることは期待できないでしょう。

地域は自らの知恵で創生に向けたシナリオを練り上げていく必要があります。人口減少が続く地方では、経済活動が低下し、行政のサービスも弱くなり、域内需要が縮小していくという悪循環に陥る可能性が大きくなります。そこでは、足元にある地域資源をできる限り活用しながら、域外の需要を取り込んでいく戦略が欠かせません。

大切なことは対処療法的な施策の寄せ集めではなく、しっかりと地域の体質を強化する持続的な経済成長力を高めていく政策を体系的に構築していくことです。地域の経済成長力とは、幅広い地域の人々によって生み出される経済的な付加価値の総合的な力です。地域資源を活用し、製品化し、販売していく力であるとともに、得た財を地域の中で再還元する力でもあります。また、それを支える良質な雇用力や地域住民による域内消費の力も加わります。安心して住み、活動できる環境整備や柔軟な地域連携システムとしての地域コミュニティの力など、ソフトな力も含めて地域の経済成長力として考えていくことが必要だと思います。

地域資源を生かした持続的な成長力の強化に向けては、多くの対談者が地域資源の活用の重要性を指摘しています。藤田先生との対談では、「捨てればゴミ、生かせば資源」という言葉で、潜在的な地域資源を新たな視点から見直すことの重要性が指摘されました。また、小林先生がいう「気付き」で足元の幅広い文化資源を発掘していくことは、地域の持続的な経済成長にもつながっていく大事な視点です。

域内連関力の強化

そこでは、外からお金を稼ぐ力を高めるとともに、稼いだお金を地域の中でしっかり循環させて付加価値を高めていくという二つのバランスを取りながら経済力を高めていくことが重要です。この内外に向けての力のバランスを取りながら地域が一体となって安定した経済構造をつくり上げていくことが、持続的な地域経済の体質強化につながります。これまでの地域産業政策は、ややもすれば企業や工場を誘致することに軸足が置かれ、地域経済の中で、モノやお金、さらにサービスも含めて地域内での循環を高めていく政策手法の検討については弱かったように思います。例えば観光産業については、塩谷さんとの対談で議論したように、観光消費を高めるだけでなく、稼いだ消費を地域内の産業を連携させながら域内循環を高めていく工夫が大切です。

域内循環の割合を高めながら持続的な経済成長につながるわかりやすい経験が、北海道における米の消費と生産です。北海道民が食べる北海道米の割合は一九九〇年代後半にはわずか三七%でしたが、現在は九〇%を超えています。しかも、これは道民が無理をして地元の米を食べている結果ではなく、おいしい米づくりの成果です。その要因は、寒冷の泥炭地の農業基盤整備を地道に積み重ねてきたこと、さらに長年にわたる農業試験所等による技術開発によって食味のよい新品種を次々と生み出してきた技術革新に向けた努力です。もう一つの大きな要因は、成果主義を徹底した農業政策にあります。市町村を生産性、商品性、販売力などでランクに分けて、評価の低い地域の生産量を評価の高い地域に移していくという、生産調整の傾斜配分で徹底した成果主義を導入した農業政策の展開です。それにより、自治体、ＪＡ、農家とも真剣に努力を重ね、売れる米づくりに挑戦していったのです。その結果、北海道米は非常に競争力のある産業へと成長するとともに、道民の道産米の消費率が向上しました。経済効果としては、それまで道外に流出していた年間四〇〇億円超のお金が道内に還元されることにより、経済波及効果は五〇〇億円を上回り、さらに輸出競争力を高め、外からも稼げる産業になりました。このような、長年の基盤整備、革新的な技術開発の努力、競争力を生み出す政策がうまくかみ合うことで地域のイノベーションが生まれます。地域内の消費を高め、さらに強い産業を育てていく好循環を目指していくためには、このような技術と政策の連携が大切です。

地産地消は大切ですが、単に地元品愛用という保護主義的な観点だけでは成長につながりません。我慢して地元のものを使う内向きの閉鎖的な経済ではなく、地域内で消費者と生産者が緊張感をもって向き合いながら、質の高い商品、サービスを生み出し力強い地域経済を目指していくことが必要です。これを、食だけでなく、製造業やサービス業などすべての産業に広げていけば大きな力になります。

アメリカの政治学者であるロバート・パットナムは、イタリアの二〇の地域（レジオン）を対象に、それぞれの地域社会がどのように機能しているかを調査しました。彼の研究の目的は、地域レベルでの政治的・社会的機構が公共の福祉にどのように貢献しているかを理解することにありました。パットナムは、地域社会の結束力や相互信頼、市民参加の度合いなどを示す「ソーシャルキャピタル」が、地域社会の経済的な成功や民主的なガバナンスの質などに大きな影響を与えていることを発見しました。

私は、地域内の信頼関係を深めながら、内なる力を醸成して連関力を高め、対外市場でも競争力を持つ地域経済を目指していく内発的な成長戦略が大切だと考えています。これは従来の産業立地、企業誘致の政策、産学連携等によって起業化を目指す産業政策を排斥するものではなく、それらと共存しながら、地域内の生産者と消費者との柔軟な信頼関係の構築によって地域経済の力を高めていこうという、いわば「もう一つの」地域産業政策ともいえるものです。

欧州の経験

わが国にとって参考になる地域政策は、欧州の政策経験だと思います。資源が豊かで、チャンスを求めて各地に移動していくアメリカのダイナミズムも大切ですが、日本に当てはまる地域政策はなかなか生まれにくいようです。それに比べると、地域に根差した文化が熟成し、伝統に誇りを持ち、内発的な力としてのつながりを重視する欧州の国々が歴史的な波を超えて醸成してきた経験は貴重です。

ロバート・パットナムが着目したイタリアでは、「第三のイタリア」と呼ばれる、ベネト、エミリア・ロマーニャ、トスカーナ州などで注目すべき内発型の産業発展が認められています。小規模で地域に分散している家族的経営の企業が、フレキシブルな生産方法で、大規模企業では対応できないニッチな分野で成功を収めており、学問的にもフレキシブル・スペシャライゼーション（柔軟な専門化体制）という対象で研究されています。

食産業の分野では、イタリアのスローフード運動やフランスのＡＯＣなどの原産地認証制度に見られるように、地域の伝統に根付いた価値観による生産、消費の文化運動やそれを支える産業政策が育っています。さらに最近スペインのバスク地方は、美食と観光、文化資源の融合による創造都市に向けた動きが注目されています。その潮流に共通するのは、大量生産、大量消費というこれまでの経済を牽引してきた中央主導型のシステムに対峙していく、内発的な思想です。地域の伝統、風土への愛着と、地域づくりの担い手は地域住民自身だという誇りに支えられた運動でもあります。そして、その底流にはグローバル化の不安定な波に対して、次世代につなぐ営みとして地域を見つめ直しながら、新たな価値を創出して、競争力を高めていこうという地域の深い戦略すら感じます。

4　市場メカニズムの活用

市場メカニズムと地域政策

地域政策の難しさと醍醐味は、市場メカニズムをどのように活用していくかを探求することです。市場メカニズムと地域政策は互いに補完関係にあります。経済の活性化と生活の向上を目指していくために市場メカニズムは必要ですが、行き過ぎると大都市と地方の格差が広がります。そこでは、商品やサービスの価格が供給と需要のバランスによって決定され、それによって最適の資源配分が実現するという市場メカニズムの仕組みと、それでは解決できない公共的な政策との相互関係をしっかり理解しておくことが大切です。

最近、市場メカニズムの作用、特に民の力を活かせるように、官がしっかり公共政策で支えていくというバランスの取れた議論の必要性を感じる場面が多くなりました。その一つが、地方の公共交通問題、特に地方鉄道の存置問題です。目先の輸送密度や事業採算性の視点が重視され、大局的な政策の視点が欠けてきているように感じます。村上先生との対談で、フランスと日本の鉄道について議論しましたが、欧州と異なり日本では、鉄道をめぐる制度設計は市場メカニズムが成り立つ地域がベースになっています。JR北海道における路線ごとに廃止を排斥しない方向で議論が進められている現状には不安を感じます。国鉄の分割、民営化でJR北海道が発足したのは一九八七年です。その前段で特定地方交通線の廃止と存続を峻別する重い決断があり、北海道では一五〇〇キロメートルを超える路線が廃止となることが決まりました。一方、そこで存続した路線については、JR北海道が基金という政策支援スキームを使いながら運営していくという制度設計でした。今大切なのは存続か廃止かではなく、基金という不安定な政策支援の制度設計に代わる安定的な公共政策のあり方を構築していくことです。三七年前に特定地方交通線の廃止、存続と分割民営化を決断した国の責任を忘れてはいけないと思います。民の力を活かしていくことは大切ですが、安易に民に任せることのリスクを見極めておくことを忘れてはいけません。市場メカニズムが成り立たない地方においては、公共財としての必要性についてしっかり声を上げていくことが必要です。

エネルギー政策と市場

一方で、市場メカニズムを積極的に活かした政策手法が環境エネルギー分野に登場しています。例えばＦＩＴ（固定価格買取制度）です。再生可能エネルギーから発電された電力を、国が定めた固定価格で電力会社が買い取る制度で、再生可能エネルギーの導入促進と普及に加え、技術革新にも大きな効果を上げています。二〇一二年七月に、本格的な固定価格買取制度が始まった契機は、三・一一の福島での原発事故でした。それ以降、地域政策の重要な分野としてエネルギー政策が登場してきたといえます。その政策手法が市場での買い取りという市場メカニズムとの連動システムでした。しかし、一〇年以上が経過し、高い買取価格が電気料金に転嫁されることによる消費者負担増の問題が出てきました。そこで、二〇二二年度から新たにＦＩＰ（フィードインプレミアム制度）を導入して、より市場メカニズムに近い制度設計になりました。

これらの制度を有効に地域政策に活かす事例が北海道で出てきています。大槻会長との対談でも話題に出た上士幌町では、自治体が出資する地域商社、ＤＭＯの「Ｋａｒｃｈ（カーチ）」が地元に電力を販売しています。電源は、地元のバイオガスプラントですが、北海道ガスが電力の安定供給を含め技術的な支援を行っています。さらに、北海道ガスでは、苫前町において町営の風力発電所の電気を調達し、「非化石証書」を付けて、町内の公共施設に販売しています。この仕組みは、日本の再生可能エネルギーの普及政策が固定価格による買取制度から変動価格による買取制度に変更したことに伴う新たな政策支援手法です。安定した自社電源を持つ民間の力と技術との連携により、自治体の課題を解決していく動きとも言えるでしょう。

今後、市場メカニズムを用いた地域政策は、再生可能エネルギーの活用や環境問題への対応において一層重要な役割を果たします。市場の仕組みや特性を理解して、需要と供給の動きを予測するとともに、自地域が有する競争優位性を把握しながら政策立案を進めていくことが必要でしょう。

民の力を活かす手法

一九九〇年代末になって、公共施設の建設、維持管理、運営等を民間の資金、経営能力および技術的能力を活用して行う新しい手法であるＰＦＩ制度が導入されることになり、地域政策の分野でも官の役割を民が担っていく新たな官民関係のシステムが生まれてくるようになりました。

しかし当初は総じて小規模な事業が多く、期待された民間のノウハウ、資金力を活用して、社会資本整備の手法改革につなげていく状況ではありませんでした。その理由については、地方自治体では手間がかかり、使い勝手がよくないという声が多くあり、一方で民間企業からは、ＰＦＩの入札手続がそれまでの公共事業発注の考え方から脱却していないという批判がありました。大切なことは、長期的な視野で民間活力を引き出していく政策手法とはどうあるべきか、ということです。

そこで、出てきたのがコンセッションです。既に空港運営のほか、上下水道や道路事業、展示場施設や旧刑務所の活用などで導入されており、幅広い分野で公共施設を長期的に運営する権限を民間企業に譲渡するものです。コンセッションは、インフラの所有権は国や自治体にあり、運営権のみを売却する制度で、いわば官と民の機動的な連携によって生み出される新たな互恵関係と理解した方がいいでしょう。

単に官がやっていたことを民に担わせるのではなく、行政という枠組みを超えて民の機動力を活かしながら、新たな政策効果を目指していく官民連携の地域政策と言えます。コンセッションが目指すものは、長期的な視野での官民相互のウィンウィンの関係づくりです。民に安く肩代わりさせて政府支出を抑えるという短期的な財政上の思惑は避けなければいけません。そこで目指す方向は、信頼に裏打ちされた関係の構築です。官と民を対等の関係で論じることは、現実には難しい面があります。官が有する政策立案や規制、財政配分の権限は既得権益として硬直化しがちです。しかし、人口減少で国も地方も税収減によって政府の活動が制約を受け、特に社会資本の整備や管理などの分野では思い切った民へのシフトが急務となってきています。今後、地域の成長を支えていくためにも、民主導の仕組みに地域政策を転換していく発想のパラダイム転換が必要でしょう。

他方、民の側も、既存の政府部門の領域に対して、民の機動力や知恵でより効率的に対応できることをしっかり提案し、実績を積み上げていく積極的な姿勢に転換していくことが必要でしょう。特に、三〇年を超える事業など、長期的な視点での事業計画の構築は、これまでの官の領域の政策スキームへの挑戦でもあります。このような相互の切磋琢磨による緊張感に支えられた官民連携を醸成させ、信頼に裏打ちされた強い互恵関係を構築していくことが大切です。

5　雇用環境の変化に向き合う

人手不足問題

　働き手不足が大きな社会問題になっており、どのように対処していけばいいのか、官、民双方で戸惑いが生まれています。二〇二四年問題といわれるように働き方の改革が進められていますが、人口減少時代において働き手が不足する事態にどのように備えていくかという大局的な政策指針がないままに時間外労働の上限規制などが進められ、混乱が生じています。小手先の対処で済む問題ではなく、技術革新、働き方の多様化、移民政策など幅広い政策分野が方向性を共有しながら検討を進めていかなければいけませんが、残念ながらその全体像は見えません。しかも、雇用に関連する政策は全般に国が所管する権限、規制が多いため、地域の実態に即した対応に制約があるという構造的な難しさがあります。

　しかしながら雇用に関わる政策は地域にとって重要です。安定した雇用の創出は、地域の活性化に向けた政策の大きなテーマです。地域の活性化、成長を目指していく目的は、その地域に暮らす人々が、安心してそこで生活していける所得を得る基盤としての働く場を安定的に得ることとです。ただ、これまで地域政策として直接雇用に向き合う局面は少なかったのです。

これまでの地域の活性化、発展については、どちらかといえば産業振興が主眼であり、雇用の創出はそれに付随するものでした。特に、製造業を中心にした工業誘致政策が重点的に進められました。しかし、国際的な市場で競争力を強化しなければならない製造業は、生産性の向上のために雇用の削減を図るとともに、労働力の安い海外への立地を進めるようになりました。ところが、海外の労働者の賃金も上昇し、さらに海外立地によるサプライチェーンの不安定さなどから、北海道のラピダスや熊本県のＴＳＭＣのような先端的な半導体産業の国内立地の動きが出てきています。あらためて幅広い視野で、地域が主体となった雇用政策の戦略を構築していく必要があるでしょう。

地域主体の雇用政策

雇用政策の難しさは、重要な政策でありながら、地域が直接の政策手段を持ち得ていないことです。他の政策に比べると、雇用政策は国主導の構造になっており、雇用の現場に最も近い市町村にはほとんど権限がありません。最近では、雇用相談の場を設ける自治体も少し出てきましたが、基本的に雇用調整の権限、情報は国の機関としてのハローワークが主体です。今後は地域が主体となって、地域に密着したよりきめの細かい雇用調整の機会を増やす方策を考えていく必要があります。雇用ニーズを細かく把握し、企業側に地域内の雇用環境を伝えて受け入れの柔軟な対応を求め、雇用者側にも企業の事情を伝えて、スキルアップの支援、アドバイスをするなど、地域情報に精通した市町村として積極的に雇用調整に関与していくアプローチが重要になっています。

対談で宮本先生は、「地域ならではの雇用のかたちを創っていく必要があります」と指摘されています。地域独自の雇用政策を工夫しながら構築していくことが必要でしょう。また、自治体においては、幅広い政策分野との連携により雇用効果を高めていく観点も必要です。例えば、介護・福祉分野の産業は極めて高い雇用誘発効果を持っています。高齢化社会における介護、福祉政策の展開に向けて、雇用誘発力を地域における就業機会の創出と結び付けながら、より質の高い地域政策を進めていく視点も大切でしょう。

地域開発と雇用政策

このような地域が雇用に向き合う政策については、国がしっかり支援していくことが大切です。欧州の地域政策では早くから雇用政策が大きな比重を占めています。特に、職業訓練や教育研修など地域の産業活性化と結び付いた前向きな分野に力が入れられています。

一九九五年に北海道開発庁がスウェーデンと地域開発政策に関する国際会議を主催した時に、私は事務局を担当しましたが、スウェーデンの窓口は労働省でした。訪問団の団長であった労働省のマールボロー次官に、なぜ労働省が地域の開発政策に深く関わっているのかを質問した時に、「質の高い雇用を安定的に創出していくことが地域開発政策の原点」と語っていたことが忘れられません。

これまでの国による雇用政策は救済策としての性格が強く、前向きな経済政策や地域政策との結び付きは弱かったようです。海外に出向くと、地域開発政策をテーマにした会議では、必ず雇用政策の担当機関のスタッフが出席しています。豊かな国づくり、地域づくりのためには経済活動を支える人材をしっかり政策として育成、訓練していく責任があるという思想が根付いていることを感じます。

雇用を核にした成長戦略

地域が主体的に雇用政策を進めていく上で大切な視点として、雇用に関連する横断的な政策調整があります。雇用を支える産業部門や職業訓練などの教育部門、すでに人手不足がみられる医療、介護、福祉部門など、他の政策部門と丁寧に連携しながら地域の活性化を目指すための地域雇用政策を横断的に進めていくことが大事です。また、日本の働き手不足問題は、基本的には少子化と、それによる高齢化、さらに生産年齢人口の減少、技能労働者不足などによって連鎖的に引き起こされています。その解決に向けては、外国人労働者の受け入れ拡大、女性や高齢者の労働参加促進の視点は欠かせません。

外国人労働者については、今後特定技能制度の拡大など、より多くの外国人が日本で働くことが予想されます。日本は外国人の受け入れにはこれまで慎重でした。しかし、静岡県浜松市のように、二〇年以上も前からブラジルからの移民をピーク時で年間三万人以上も受け入れ、積極的に共生型の国際都市づくりを進めている自治体もあります。人手不足解消だけでなく、国際化に向けた都市づくりという積極的な姿勢を持つことが大切だと思います。

さらに、地域政策として働き手不足に向き合っていくためには、移住、定住支援策の強化や地域での起業支援、地域おこし協力隊の活用、住宅支援など、まちづくりの視点で進められている幅広い政策と連動させていくことも大切です。北海道の東川町では、写真のまちの伝統や廃校舎を活用した日本語学校を核に国際交流のまちづくりを進めていますが、ここでも人手不足解消というよりは、日本語を共通言語にして幅広く住民を巻き込みながら、外国人との共生を目指すまちづくりを実践するという気概が伝わってきます。また、ニセコ町では、先駆的な環境配慮型住宅を建設することで移住者を呼び込んでいます。環境政策を重視するまちづくりの理念に共鳴する人たちに移り住んでもらおうという戦略です。

このように地域の特色を生かしながら雇用問題に向き合っていくことが大事です。これらの政策は、単に雇用創出を目指すだけでなく、関連する幅広い政策部門や企業と連携、調整して取り組むことでより大きな効果を生むことができるでしょう。

6　共生社会へのアプローチ

共生の時代

人口が減少し、飛躍的な成長が望めない時代においては、限られた資源を有効に使っていく社会システムに転換していくことが大切です。そこで、これからの地域の活性化に向けた政策では、共生という概念で進めていくことが重要になってきています。現在の政策では、高度成長時代に効率性を優先して構築された縦割りの仕組みが、既得権によりいまだに多く存在しており、横の調整が難しく、柔軟な対応に欠ける点があります。それは国の仕組みだけでなく、自治体にも強く影響を与えています。当初設定された目的に縛られて、他の利用が難しく非効率になっているのです。そこをより広く利用できるような共生の仕組みに向けた検討が必要です。地域に密着した自治体こそ、柔軟な共生システムへのアプローチが大切な課題だと感じます。特に日本では独占的な所有権など、土地空間について排他的な仕組みが強く残っており、そこを超えるような共生の仕組みは大切です。また、政策執行の面からも共生の概念を政策に取り入れることで、部門間の横の連携を円滑に促進していくことができます。

脱炭素と共生社会

世界的にも共生社会の形成は、大きなテーマです。一九七〇年代には、オイルショックを受けてローマクラブによる成長の限界への警鐘が鳴らされ、さらに九〇年代に入ると、次世代に限りある資源を継承していく「持続可能な開発」への関心が高まっていき、その後も地球温暖化や生物多様性問題に地域としてどのように向き合っていくかが問われています。資源有限の認識、持続可能な開発、脱炭素社会の構築という半世紀にわたる人類の挑戦を振り返ると、その底流には共生社会を目指していく理念が流れていると感じます。

私は、地域政策の分野において、共生社会を目指していくアプローチは、既存の政策部門の壁を超える政策統合の有力な手法であるとともに、既得権の制約のない新たな政策分野を開拓していく有効な手法であると考えています。例えば、脱炭素に向けた再生可能エネルギーの取り組みです。ドイツにおける再生可能エネルギー転換に向けた政策は、自治体、地域コミュニティ、民間企業がそれぞれ重要な役割を分担している野心的な政策システムと言えます。自治体は、基本となる政策と規制の枠組みをつくり、建築規制、エネルギー供給計画の策定、環境保護基準の設定や資金調達、補助金による支援を行います。地域コミュニティは、風力や太陽光発電などのエネルギープロジェクトに直接参加し、時には共同所有者となり、地域内でのエネルギーの自給自足を目指します。また、民間企業は、専門的な技術提供や他地域との連携など重要な役割を果たしており、これら三者間の協力と相互作用により脱炭素に向けたエネルギー政策が加速しています。ここで大切な視点は、脱炭素という新たな課題に対する政策手法として幅広い部門を統合させながら、より質の高い地域政策を展開している点です。わが国の地域政策においても、脱炭素を契機に、さまざまなグリーン戦略が提起されていますが、既存の殻を打ち破る革新的な政策展開につなげていく意識をもって進めていくことが必要です。

共有経済の可能性と課題

共生社会の仕組みは、公共交通の分野でも大切です。日本でも、一般ドライバーが有償で顧客を送迎する「ライドシェア」が条件付きながら、二〇二四年四月から一部地域で利用できるようになりました。対象地域はまだ限定的ですが、少子高齢化を背景に公共交通の必要性が高まるなかで、交通の「シェア」をどのように図っていくかは大きな課題となっています。この背景にあるのはシェアリングエコノミー（共有経済）の動きです。

シェアリングエコノミーとしては、空いている部屋を短期間宿泊で貸し出すAirbnbや、個人の車を利用して乗り合いサービスを提供するUberなどが知られています。所有者の利用に限定することによって生まれる無駄を省き、最適な配分と利用を促進し、環境への負荷軽減にも寄与します。資源の持続可能な利用という面からも、シェアリングエコノミーは重要な動きです。これを支える基盤はインターネットです。スマホの普及により、所有から共有へというパラダイムシフトを促進していく可能性があります。セキュリティリスクや参入障壁の低さなど、公共性を維持していくための課題はありますが、地域の中のつながりを深めていく地域政策への応用が期待できます。

一〇年ほど前、韓国の首都ソウル市では共有都市（Sharing City）政策に積極的に取り組んでいました。当時のパク・ウォンスン市長が、都市の経済、社会、環境問題の同時解決を掲げて挑戦したもので、その政策推進のために「社会革新課」を設置するなど、先駆的な都市政策を進めていました。ホームページには、そのねらいはより少ない予算での質の高い都市サービス提供、コミュニティの回復、環境問題の解決を目指すことと掲げられています。二〇一八年に調査で訪問しましたが、「ナムカー」と呼ばれる自家用車を共用で利用する事業や、三〇〇世帯以上の共同住宅に設置されている小図書館に本棚を設置して、それを住民に分譲し、そこに自分の本を保管して交換して本を読むことができる「共有書架書」、工具の貸し出しや修理、日曜大工プログラムを運営する「工具図書館」、駐車場の共有、公共施設の遊休空間の共有など、ほとんどが地味な取り組みですが、着実に「シェア」を進めていました。「人と人のつながりを深めていくことがねらい」、という政策担当者の言葉が印象に残っています。

コモンズ

共生社会への政策的なアプローチとして、特に空間利用についてはコモンズの概念が重要だと思います。持続可能性や持続可能な開発という概念が多くの人々に共有された理由は、限られた資源を公平に世代間に配分していくという考え方です。世代を超えた長期的な時間軸で、限られた地球に我々はどのように向き合うかという視点ですが、私は、それとともに空間軸（地域軸）の視点から持続可能性を考えていくことが重要だと考えています。今我々が住んでいる地球上の土地や空間、森林、河川などを、どうやってより公平に、有効に限られた資源として使っていくのかという視点で、これからの社会システムを構築していくことが大切であり、そのための有効で適切なコンセプト（概念）がコモンズです。

特に土地の所有と利用については、コモンズの視点で考えていくことが大切です。土地は地球の一部です。限られた人類共通の資源である地球の貴重な空間が、私的所有権で強く守られて、独占的に、個人や企業など特定の主体によって排他的に使われている状況は社会的な損失でもあります。まちづくりや地域の活性化プロジェクトを進めていく上で、土地利用の硬直的な制度が大きな障害となる事例は多くあります。

現在わが国では、人口減少、高齢化の急速な進展により、土地をめぐる新たな問題が深刻化してきています。それは、過去の日本列島改造論やバブル期のような土地高騰、買い占めという問題ではなく、空き家、空き地、廃校、空き店舗、耕作放棄地などのように、土地が利用されないこと、放置されることによって生じる問題です。土地の利用を欲する量が増えていく時代には、「規制による誘導」という手法が一定の効果を有していましたが、これからは、量的な変化への対応よりも、良質の土地を持続的に利用していく手法が重要となります。そこでは、対象となる土地空間をコモンズとして捉え、単一的利用から重層的、複合的利用が可能な政策手法を駆使していくことが有効だと思われます。

もちろん、具体の政策のかたちに転換していく営みは容易ではありませんが、藤田先生が話されたように、危機感を共有しながらチャレンジしていく姿勢が大切でしょう。事例として紹介のあった宮城県南三陸町戸倉の共同経営によるカキ養殖の取り組みでは、東日本大震災という大きな危機を契機に、新たなコモンズの発想による取り組みが実現しています。

7　地域政策を支える科学的探究

質の高い政策形成

今後、複雑な社会、経済の課題に対して、より効果的で効率的な解決に向けた地域政策を目指していくためには、科学的な分析や理論に基づくアプローチが欠かせません。それは、データ、分析結果、方法論などを公開しながら政策を進めることで、政策形成プロセスの透明性を高め、結果として住民の信頼を得ることになり、政策の持続性につながっていくからです。

戦後のわが国の地域政策でも、研究者による理論の検討、議論は盛んに行われていました。2の「国土計画の系譜」でも述べましたが、戦後日本の国土政策のスタートになった全国総合開発計画の策定に当たって、政府は、国内の地域開発に関心のある研究者を集めて地域開発問題について集中的な検討を進めました。そこで彼らに投げかけたテーマは、「経済の高度成長を維持しつつ、各地域相互間に均衡のとれた経済の発展を実現するための総合的かつ基本的方策いかん」というものでした。それに対して、経済学を中心に二〇名を超える新進気鋭の研究者が集まって二年間にわたる検討を進め、①日本経済の高い成長が、東京、大阪、名古屋などの大都市地域への集積を強めたこと、②この現象が、大都市地域における過密の弊害を発生させ、③大都市地域から距離的に遠い地域における経済活動を相対的に低下させ、大都市問題および地域格差問題という経済的、社会的問題を発生させたと分析し、初めて地域格差という現象が将来の経済成長にとって好ましくないという答申を示したのです。

このような地域開発という新たな政策の必要性と意義、その手法について、アカデミックな議論と検討作業が進められ、最適な政策手法として全国に開発拠点を設け、その開発効果を周辺に波及させていこうという拠点開発政策が初の全国総合開発計画の方式として採用されていきました。この議論の過程では、フランスのペルー、ドイツのハーシュマン、アメリカのアイサードなど、世界的な経済学者の理論が重要な役割を果たしています。

戦後の国土計画については、さまざまな批判もありますが、このような科学的なアプローチによって、国の地域問題を分析し、克服していくための政策手法の検討が進められたことを忘れてはならず、貴重な経験として継承していくべきです。

北海道の伝統

地域政策の形成に向けたアカデミックな議論は、北海道において先進的に進められました。戦後まもなく、都道府県では初となる道民所得推計を実施し、全国初の地域版経済白書が一九六一年に発刊されています。全国初の地域産業連関表も北海道で作成されました。また、北海道拓殖銀行調査部が作成した北海道のマネーフロー（資金循環）分析は、先駆的な取り組みで注目されました。戦前からの拓殖政策を継承しながら、北海道では国、自治体、民間による強力な連携によって、地域独自の経済・産業戦略形成に向けた地域分析、地域調査のシステムを他地域に先駆けて構築してきた伝統があります。私が七〇年代に国土庁で国土計画の仕事をしていた時には、上司から地域経済分析や計画手法については北海道に学べとよく言われたものです。行財政改革が続き、目先の効率性を重視する風潮のなかで、これらのソフトな知的基盤がいつのまにか脆弱になってきていることはまことに残念です。

北海道庁には、総合的な地域研究機関として「北海道立総合経済研究所」が設置されていました。しかし、昭和五〇年代に廃止となり、その後マネーフロー分析も中止され、最近では北海道経済白書の発刊も中断されています。次第に地域の考える力を育てる基盤が崩れてきています。贅肉を切るべき行財政改革が、脳神経にメスを入れてしまったようです。地方分権の動きを真剣に受け止めていくならば、これらの伝統と経験を見つめ直し、官民が一体となって主体的に政策形成していくソフトな基盤を再構築していくことが大切でしょう。

地方大学の役割

橘さんとの対談では、自治体と地方大学との連携の重要性が話題になりました。地域社会が直面している課題に向き合うためには、大学の持っているアカデミズムの力を活用し、自治体との柔軟な連携による共生の仕組みづくりが必要です。地方における難しい政策課題については、中央からの画一的な政策の適用だけでは解決に至りません。地方独自の多様性と柔軟性を生かした丁寧なアプローチが求められます。そこでは、地方の大学と自治体が連携し、地域社会の課題解決に向けた新たな共生、連携のプラットフォームの構築を進めていくことが有効です。

私は一九九九年から一三年間、釧路公立大学の地域経済研究センターで、テーマごとに内外の研究者や行政、民間人を加えた研究プロジェクトを組織して、地域課題に向き合う政策研究を実践しました。当初は、違和感を持って見られることもありましたが、次第に科学的な探求を通じて、実証的な分析により政策を提起していくことの大切さを受け止めてもらえるようになりました。

また、二〇二三年四月からは、北海道文教大学に設立された地域創造研究センターで活動を始めています。目的は、地元の恵庭市との強い連携により、地域の課題解決に向けた政策研究を展開し、地方から先駆的な地域政策を提案、実践していくことにあります。また、知の拠点として、地域への深い理解と実践的な課題解決能力を持った人材の育成を目指しています。そのためにいくつかの研究プロジェクトを進めていますが、科学的な分析力を基盤にして地域政策に取り組んでいくことを心掛けています。初めて地域産業連関表を作成した北海道の伝統を生かして、地元の恵庭市職員も参加して市町村産業連関表の作成を進め、足元の地域の経済産業構造を理解しながら政策づくりにつなげていくプロジェクトにも取り組んでいます。

政策形成力の向上

これからの地域政策を担う主役は、自治体であり、そこで政策を推進する自治体職員です。自治体職員は、主体的に地域の課題を洗い出し、解決に向けた独自の政策を提起していく力を養い、一方で国の政策に対峙する提案力をも身につけていくことが求められています。そのためには、与えられた業務を法令にしたがってきちんと遂行していく能力だけでなく、地域社会を取り巻く課題の解決に向けた政策を構築し、提起していく政策形成力を高めていくことが大切です。急速に進む少子高齢化、デジタル化やカーボンニュートラルへの対応など、自治体政策をめぐる環境は大きな変化があります。これらの動きを的確に捉え、各地域の実状を踏まえた課題解決に取り組まなければいけませんが、国から示された施策メニューを受け身で遂行するだけでは限界があります。しかし、政策形成力を身につけるには、足元の地域を客観視するための科学的な分析力を養い、政策をかたちにしていく力をつける知的な訓練が欠かせません。

このような思いで、二〇二二年夏から北海道市町村振興協会の新たな取り組みとして、道内の市町村職員を対象にした「政策力形成ゼミナール」のお手伝いをしています。私が主任講師を務め、全道から集まった一〇名の若手市町村職員と一緒に一泊二日の集中講義形式のゼミを計二回実施しています。講義では難解な内容もありますが、大変意欲的で、予想以上の熱意が伝わってきます。ゼミが終了した後も、業務で悩んだ時に相談を受けるなど交流は続いています。

私は自治体の職員には、いつも知的な職人（マイスター）を目指してほしいと言っています。知的職人であるためには、社会の動きと地域への影響を的確に把握し、そこから出てくる課題に対応する効果的な政策を提案し、政治家や住民を納得させながら実現につなげていくための熟練の技を身につけなければいけません。知の技法とも言うべき科学的な分析力に裏打ちされた政策形成力を磨いていく必要があります。厳しい道ですが、そこに自治体職員としての醍醐味があると思っています。

三〇年近く前になりますが、北海道では、北海道町村会や北海道大学などが協力をして自治体職員向けの「地方自治土曜講座」を開催し、全道から意欲ある職員が自主的に講座に参加して自らの政策形成力を高めていった伝統があります。そこから自治体の首長として独自の政策を実践につなげていった人々も出てきています。

先人の志を少しでも継承しながら、次世代を支える政策形成を担う自治体職員には歩みを止めることなく、その力を磨き、高めていってほしいと願っています。

最後に、本対談は、地域政策について最先端の知見を有する研究者、経営者、政治家に参加いただいて実現した、北海道発の政策研究に向けた科学的な探求事業とも言えます。設立四五周年を機に本事業を企画し、実現された北海道市町村振興協会の関係者の尽力により、北海道のアカデミックな伝統が蘇ったとも言えます。本書の刊行が、北海道の知的基盤形成の伝統復活と、さらなる飛躍を遂げる一助になることを心より祈念しています。

※本書は公益財団法人北海道市町村振興協会の「地域政策の新たな潮流を探る」制作事業として、二〇二二～二三年度の二カ年をかけて、編著者が一〇名の有識者との対談をもとに構成したものです。なお、対談日以降に変化があった内容については一部加筆修正しています。

■小磯　修二（こいそ しゅうじ）

1972年京都大学法学部卒業。北海道開発庁を経て、釧路公立大学地域経済研究センター長、同学長、北海道大学特任教授、北海道観光振興機構会長等を歴任。2023年から北海道文教大学地域創造研究センター長。地域研究工房代表理事。北海道ガス㈱社外取締役。専門は地域開発政策、地域経済。途上国等での国際協力活動にも長く従事。著書に『地方が輝くために』（柏艪舎）、『地方創生を超えて』（共著、岩波書店）、『地方の論理』（岩波新書）など。

地域政策の新たな潮流を探る

2024年7月27日　初版第1刷発行

編著者――小磯修二
協　力――公益財団法人北海道市町村振興協会
発行者――林下英二
発行所――中西出版株式会社
〒007-0823 札幌市東区東雁来3条1丁目1-34
TEL 011-785-0737　FAX 011-781-7516
印刷所――中西印刷株式会社
製本所――石田製本株式会社